Délivrance

Maurice Clavel
Philippe Sollers

Délivrance

Entretiens recueillis par Jacques Paugam
dans le cadre de son émission « Parti pris »
sur France-Culture

Éditions du Seuil

L'épilogue de cet ouvrage a été réalisé hors antenne. J.P.

En couverture :
à gauche, Philippe Sollers, photo Anne de Brunhoff ;
à droite, Maurice Clavel, photo François Lochon, Gamma.

ISBN 2-02-004576-1

A Julie,
Maurice Clavel, Philippe Sollers;
Jacques Paugam, Monsieur 4718 A.

Paris le 2.8.76.

Monsieur ou Madame 47 13 A.

Je vous écris au nom d'une foule de copains et copines qui réclament d'une seule voix la publication des entretiens Sollers - Clavel ... que vous avez suggérée vous même. On est fous d'enthou- -siasme, mais pas très intellectuels, on a eu du mal à tout suivre, on n'a jamais lu une ligne de Kant, alas, alas... faudrait répandre ça posément... C'est qu'on se sent bien concernés quand même.
    Merci d'avance.
        Vous attendons
            Julie.

Préface

En publiant les cinq conversations de Maurice Clavel avec Philippe Sollers, les Éditions du Seuil donnent à ces émissions de France-Culture leur prolongement naturel.

Car ce qui a été enregistré sur le vif et entendu sur le coup mérite d'être rappelé, ou diffusé autrement, en empruntant la forme d'un texte que beaucoup d'auditeurs ont d'ailleurs demandé.

Il reste toutefois nécessaire de souligner quel rôle unique a joué ici, et peut jouer dans la vie des idées, l'usage de la radio. Échappant à la fixité de l'imprimé et j'oserais même dire, paraphrasant un propos de Socrate, aux limites de toute écriture, elle donne au public la liberté de surprendre la genèse d'une pensée.

Dans notre monde humain que chaque génération renouvelle, les analyses ne sont jamais terminées, les synthèses jamais achevées. Il faut donc sans cesse les faire ou les refaire si l'on tient à ce que les vérités qu'elles peuvent à chaque instant révéler restent au milieu de nous. C'est, comme se nourrir, une activité vitale.

Aussi bien est-ce ici l'un des usages que France-Culture entend faire de la radio : être un lieu de cette activité où le public, s'il le veut, peut assister et participer à l'apparition de ces vrais événements que sont les mouvements des pensées.

Pour y réussir, il convient, comme l'ont fait dans ces émissions Maurice Clavel et Philippe Sollers, de redonner à la « discussion » sa signification, son rôle, son vrai sens : celui de l'antipolémique, du refus d'être un combat pour vaincre et même pour convaincre, afin d'être ce qu'elle est dans toute sa force : une pugnacité révélatrice, une série de raisonnements vécus que rapportent de leurs voyages ces navigateurs que nous sommes tous et qui ont besoin d'un lieu de passage où échanger leurs expériences, leurs visions, leurs découvertes.

Peut-être en va-t-il de même pour les civilisations qui constellent notre planète et qui, si elles pouvaient ainsi dialoguer entre elles, s'éclairant mutuellement sur ce qu'elles sont, sur le point où elles en sont arrivées de leur course, se découvriraient d'une étrangeté plus enseignante que combattante.

Je dirai, pour finir, que ces entretiens m'ont fait penser à la légende du roi Midas. Ce roi était si avide de richesse qu'il lui arriva de transformer en or tout ce qu'il touchait, au risque bientôt de périr de faim. Or, il existe, de nos jours, une tentation pour la pensée « objective » de transformer tout ce qu'elle touche en objet. Ne faut-il pas alors délivrer le « sujet », *nous,* de la prison d'objectivité, afin que, frontières mentales abolies, nous entretenions avec les autres et avec l' « objectivité » des relations nouvelles et des possibilités de fusions libres?

Poser ces questions, y répondre, les poser à nouveau exigeait bien cette double formulation allant de la parole au texte et du texte à la parole.

Yves Jaigu
directeur de France-Culture.

Premier entretien

Lundi 19 juillet 1976

J. PAUGAM : Si je vous propose cette semaine cinq face-à-face Maurice Clavel-Philippe Sollers, c'est un peu le fruit d'une coïncidence. Dans son dernier livre, Maurice Clavel a eu la gentillesse d'indiquer qu'il avait écrit *Ce que je crois* — dont son dernier texte *Dieu est Dieu, nom de Dieu...* est la suite substantielle —, qu'il avait donc écrit *Ce que je crois* à la suite d'une émission que nous avions faite ensemble, il y a de cela maintenant deux ans, en août 1974. Or, il y a deux mois, au cours d'un entretien que j'ai eu avec lui sur Antenne 2, Philippe Sollers a dénoncé très violemment les idées de Maurice Clavel et peut-être plus encore l'utilisation qui pouvait en être faite. Alors, j'ai pensé qu'étant donné qu'il s'agissait de deux hommes honnêtes intellectuellement, deux hommes passionnés, indépendants de tous les clans et de tous les partis, il serait peut-être bon de les mettre face à face.

Point de départ de cette confrontation, aujourd'hui : Mai 68. Philippe Sollers, une question, une remarque pour commencer?

PH. SOLLERS : Je n'ai pas attaqué Maurice Clavel « très violemment », j'ai essayé...

M. CLAVEL : Il me faudrait des clartés là-dessus, justement parce que je ne vous ai pas entendu.

PH. S. : J'ai essayé simplement de poser une question qui me paraît grave aujourd'hui, parce que je crois qu'elle a une importance politique et philosophique. Et la question que je pose et à laquelle je demande une réponse, puisque Clavel est là, c'est la suivante. J'ai dit : voilà, il y a eu 1968, et ce mythe qui est un mythe désormais mort, ou du moins que tout le monde essaie de faire mourir, est en réalité un spectre que tous les états-majors politiques, tous les appareils, tous les partis s'acharnent à conjurer. Je pose la question à Clavel comme ceci : est-ce que, en réaffirmant très vivement que Mai 68 ouvre sur une question transcendante, sur la question de la transcendance même, est-ce qu'il ne croit pas qu'il participe volontairement ou involontairement, consciemment ou inconsciemment, à cette conjuration?

M. C. : Bon, d'abord, une déclaration liminaire. Philippe Sollers, je ne vous connais guère; je n'ai pas assez étudié votre œuvre, avec laquelle, pourtant, de loin, je sympathise. D'autre part, le jour où, à la Télévision française, lors d'un autre face-à-face qui avait plus de public encore que celui-ci, et où j'ai dit : « *Messieurs les censeurs, bonsoir!* », j'ai reçu une dizaine de milliers de lettres ou télégrammes parmi lesquels il y avait le vôtre. Et le vôtre, je l'ai sorti du lot, du moins dans mon cœur. Il m'a touché si profondément que je considère que vous ne serez jamais mon ennemi, même si je dois ou si j'ai pu devenir le vôtre. De ce point de vue-là, je n'affiche aucune charité chrétienne : non, c'est une affaire de cœur personnelle ; la partie n'est pas égale entre nous.

D'autre part, vous m'avez questionné et je commence déjà par critiquer votre question, et vous verrez que ma critique de votre question n'est pas tellement étrangère à Mai 68. Vous avez dit : « *Est-ce que Maurice Clavel ne participe pas consciemment ou non, involontairement ou non, à une opération de manipulation?* » ou quelque chose comme ça. Alors là, je vous dis tout de suite « non », et, pardonnez-moi, j'ai même envie de vous dire tout de suite : « merde »! Parce que tout ce que vous dites là relève de la catégorie de l' « objectivement ». « Subjectivement », on fait ceci et, « objectivement », on collabore à cela ; « on fait le lit de », « on fait le jeu de ». Ce sont des catégories dont, justement, beaucoup d'amis révolutionnaires issus de Mai 68 et moi-même avons complètement marre! Qu'on nous classe comme on voudra! Qu'on nous étiquette comme on voudra! Et je vous compléterai ce propos par une anecdote admirable : Yves Montand, à la télévision — je l'aime et je l'estime beaucoup, vous aussi sans doute —, vient à dire innocemment, dans le courant d'une phrase : « *Eh bien oui, si vous voulez, objectivement...* » Et là il s'arrête court et dit, après ce silence, en très gros plan à l'écran : « *Non! Pas* " objectivement " ! *C'est un mot qui a assassiné trop de millions d'hommes!* » Enfin, pardonnez-moi, je suis quand même assez grand et je crois avoir non seulement la tête, mais les épaules et les reins de penser tout seul. Je ne me crois pas, si vous voulez, tellement récupérable.

Et maintenant, après ce préalable mental et méthodique, il faut peut-être que je vous réponde sur le fond. Je conviens tout à fait que tous les états-majors politiques s'emploient à conjurer le spectre de Mai 68. Or, dans mon inspiration, dans tout ce que je représente, dans tout ce que je vis, dans tout ce que je pense, je suis et j'essaie d'être le plus profondément fidèle à Mai 68. Je peux presque dire : absolument!

Entendons-nous bien : ce n'est pas une fidélité d'ancien combattant à un cher souvenir. Je n'ai pas été un héros titré des barricades. Je ne vais pas dire non plus, mystiquement, que je suis né ou que je suis re-né en 1968, encore qu'il y ait un peu quelque

chose de cela. Je veux dire que ce jour-là s'est produit — et vous me l'accorderez, je l'espère — une
déchirure, une fracture qui est de celles non point
d'une formule ou d'un régime politique, mais d'une
civilisation, d'une culture tout entière, d'un sol
fondamental. Et cette fracture a, comment dirai-
je, ouvert et libéré un espace à l'intérieur duquel je
me suis mis — tenez-vous bien — à respirer, à
penser, à vivre, et même, voyez-vous, à pouvoir
vivre avec d'autres, dans un espoir politique au
plus beau sens de ce mot — et non pas politi-
cien —, ce qui ne m'était pas apparu possible avant.
Tout ce que j'ai écrit de pensée, je le dois à
Mai 68, n'ayant jamais pu penser sans espérance :
pourquoi faire?...

D'autre part — j'achève de répondre à votre
question —, il paraît que ces temps-ci, à cause de
mon dernier livre, *Dieu est Dieu, nom de Dieu...*, je
suis devenu l'homme à abattre pour une certaine
catégorie d' « intellectuels de gauche », assez vaste.
On parle, on me parle déjà de ce qui se prépare
contre moi, des contre-attaques fulgurantes qui
vont surgir : je ne les vois pas venir; enfin, je
suppose qu'elles viendront. Et alors, attention,
autant je suis prêt à toutes les contre-attaques et
ripostes à icelles et ainsi de suite, autant je voudrais
leur dire, à ceux-là, dont vous faites partie, peut-
être : « *Écoutez, messieurs, bon, bagarrons-nous,*

*tapons-nous dessus, mais sachez que je suis innocent,
et j'irais jusqu'à dire ingénu et candide.* » Je ne veux
pas vous attendrir, non, mais j'entends par là que
tout ce que j'ai fait depuis 1968, tout ce que j'ai
écrit, je ne dis pas non plus que ça m'ait été dicté
par l'Esprit saint, mais je ne l'ai quasiment pas fait
exprès. Ce qui m'arrive, je n'y suis presque pour rien.

Or, il se trouve que *Ce que je crois* et *Dieu est
Dieu* ont rassemblé un public très vaste, mieux :
une sorte de peuple — sans lequel, bien sûr, je ne
serais pas l'homme à abattre —, alors que j'ai écrit
ces livres en croyant qu'ils seraient lus par cinq
mille lecteurs, peut-être dix mille parce que j'étais
connu par *le Nouvel Observateur*. Donc, si vous
voulez, il se passe à présent et il va se passer
quelque chose que je représente plus ou moins, que
j'anime, que je précipite ou je cristallise. Je
m'attendais à tout sauf à cela. Je n'y suis pas
encore fait. Je ne suis pas encore prêt, pas encore
apte à le penser. Vous m'y aiderez peut-être. Je
viens de vous le confier pour établir ou pour
souligner mon « innocence ».

Et qu'ai-je fait de « politique » dans ces deux
livres, surtout le dernier, sinon approfondir et
préciser ma fidélité à Mai 68 contre tout ce que j'ai
appelé les obturations politiciennes : oui, rupture,
ouverture en Mai 68, et voilà qu'on essaie sans fin
d'obturer, de colmater. J'ai traité un cas particulier

de cette obturation : le coulage et goulag du béton clérical de gauche. Il y en a d'autres. Mais j'ai parlé trop longtemps. Je voulais savoir, Sollers, si j'avais commencé à vous répondre d'une manière qui vous satisfasse ou si votre critique doit rebondir. En tout cas, vous m'avez touché au vif.

PH. S. : Je vais rebondir de la façon suivante. D'abord, vous avez cru que je me présentais en procureur et que, donc, j'essayais de vous coincer dans une sorte de dialectique manichéenne. Ce n'était pas mon objectif. Nous ne sommes pas là pour refuser la pensée ni l'un ni l'autre, pour nous accuser ou pour nous dire merde, mais pour essayer d'avancer et de chercher la vérité ensemble. Je pense que le point important, c'est quand même d'essayer d'analyser ce qui, dans ce spectre de 1968 auquel vous voulez affectivement — avec quelle chaleur sensible — rester fidèle, ce qui, dans ce spectre, est aujourd'hui vivant. Qu'est-ce qu'on essaie d'anesthésier? Qu'est-ce qui fait de 1968 quelque chose qui est porteur de nouvelles valeurs? Qu'est-ce qui est apparu là? Vous l'avez dit pour vous, une façon de s'ouvrir et de pouvoir vivre avec d'autres et de pouvoir penser ensemble un nouveau projet politique...

M. C. : Plutôt une nouvelle politique, sans « projet ». J'ai horreur des « projets », d'abord parce qu'ils ratent... Puis, les « valeurs », connais pas!...

PH. S. : Mais peut-être une nouvelle façon de faire de la politique, une nouvelle façon, avant tout, de penser et de parler autrement.

M. C. : Ça, oui! Une révolution sans précédent ni modèle...

PH. S. : Voilà! Alors, justement, qu'est-ce qui, dans 1968, a fait tellement événement? Est-ce que nous devons aujourd'hui l'analyser ou est-ce que nous devons essayer d'y répondre par des mots d'ordre? Je suis partisan d'une analyse.

M. C. : Il serait temps, peut-être, de l'analyser, car enfin, il y a huit ans qu'on ne l'analyse plus, Sollers.

PH. S. : Voilà, c'est ça!

M. C. : Il y a huit ans que cinquante livres ont paru — dans le sillage psychique ou la foulée commerciale — et puis il n'y en a pas eu d'autres : marché saturé, sans doute. Alors, reprenons tout en grand et avec sérieux. Malgré bien des apparences, c'est l'heure.

PH. S. : Voilà, essayons du moins. Bon. Alors, il me semble que l'expression de « crise de civilisation » qui a été employée pour conjurer aussi le spectre de Mai 68...

M. C. : Je vous l'accorde. Elle est d'ailleurs, chose piquante, d'Edgar Faure...

PH. S. : ... n'est pas un mauvais terme, quand même, car cette expression de « crise de civilisation » renvoie au fond à ce que Freud, déjà avant la guerre, appelait un « malaise dans la civilisation ». Cette explosion de 1968 l'a mis en pleine lumière. Ce qui s'est passé là, c'est la possibilité, à mon avis, de commencer à revenir sur toute une histoire muette, à revenir et à faire surgir, du fond des charniers, l'impossibilité, pour notre culture et pour notre civilisation, d'entrer de façon contemporaine dans son propre siècle, d'être contemporaine d'elle-même, l'impossibilité où se trouve ce bizarre XXᵉ siècle de se vivre en direct, l'impossibilité où serait cette société, avec, encore une fois, la complicité de tous les appareils, qu'ils soient religieux, qu'ils soient politiques, qu'ils soient çe que vous voudrez — car ils en ont lourd sur la conscience et, sur la pratique, ils en ont lourd sur les mains par rapport à cette histoire du XXᵉ siècle —, l'impossibilité, donc, de poser justement la question du négatif de ce XXᵉ siècle, qui est pour moi, qui est sans doute, pour nous...

M. C. : Soyez clair, ici, n'est-ce pas !

PH. S. : ... qui est, pour moi, deux choses. L'aventure fasciste en Europe et la question stalinienne. On ne peut pas aujourd'hui...

M. C. : Toujours d'accord !

PH. S. : ... séparer l'analyse à fond qu'il faut faire, qu'il faut continuer à faire, contre toutes les intimidations, de la question stalinienne, d'une part — le fameux « objectivement » dont vous parliez tout à l'heure, c'est bien à cela que vous faisiez allusion —, on ne peut pas séparer l'événement que représente le surgissement patient, absolument implacable, de la vérité sur le Goulag (et, au passage, je voudrais dire que ce n'est pas par hasard si c'est un écrivain qui, finalement, rend cette chose-là irréfutable et irréversible), on ne peut pas disjoindre cette question du stalinisme d'une autre interrogation que la plupart des appareils politiques, la plupart des responsables religieux et idéologiques veulent éviter, et c'est la question de l'explosion fasciste en Europe. Je crois que ces deux choses sont fondamentalement solidaires parce que, en 1968, ce qui se manifeste, c'est quelque chose qui prend à revers...

M. C. : Oui, j'ai souvent dit à contre-pied.

PH. S. : ... tous ces cadavres dans les placards, cadavres empilés par millions les uns sur les autres, et qui fait surgir autre chose. Et je crois que ce qu'on est en train d'essayer aujourd'hui d'assassiner en refoulant 1968, c'est tout simplement la mémoire de ce XXᵉ siècle purulent, terrible, car quelque chose est apparu en plein jour, comme étant la face négative, le refoulement originaire, peut-être, pour parler comme Freud, de l'histoire elle-même. Ce qu'on essaie d'assassiner, c'est tout simplement la vie.

M. C. : Alors, là, deux petites questions. Questions,

car je suis assez d'accord avec cette analyse. Il vous faut bien préciser ce que vous appelez la vie et, peut-être, commencer à esquisser ce qu'aurait été — votre formule m'a frappé — un XXe siècle coïncidant avec lui-même. D'où venait ce décalage? Vous savez que mon interprétation est différente, mais je voudrais que vous clarifiez encore.

PH. S. : J'essaie d'avancer. Mon hypothèse de travail est la suivante : il se passe dans l'Histoire, à la fin du XIXe siècle, un certain nombre de pensées, tout à fait en rupture avec une longueur d'ondes millénaire. La première, c'est le marxisme, dont on ne va pas se débarrasser comme ça...

M. C. : Mais dont je ne suis pas sûr, vous le savez, qu'il soit tellement en rupture! Peut-être au contraire! « *Marxisme, poisson dans l'eau du XIXe siècle* », dit Foucault...

PH. S. : ... ça, c'est toute une discussion!

J. P. : Qu'on reprendra demain.

M. C. : Oui, mais il faut bien noter qu'il faut y revenir!

PH. S. : Oui, absolument. Mais je dis quand même qu'il s'est passé quelque chose qui s'appelle le marxisme. Il s'est passé quelque chose dont on ne parle jamais assez, la Commune de Paris. S'il y a bien quelque chose qu'a pu évoquer Mai 68, c'est un autre événement historique que tout le monde s'est acharné à combattre et à effacer, qui est la

Commune de Paris. Bon. Et il se trouve que, pour prendre simplement la dimension du marxisme, j'interpréterais le XXe siècle comme étant le siècle de la trahison du marxisme par les marxistes eux-mêmes, sa défiguration, sa caricature.

M. C. : Je vous attaquerai fort là-dessus, car je prétends, je tiens à le dire tout de suite, qu'il n'y a pas eu trahison, mais mise à jour, pas déviation, mais filiation. Trahison et déviation ont bon dos!

PH. S. : J'estime que ce qu'on appelle le « marxisme » n'a que peu de chose à voir avec Marx, de même, peut-être, que le christianisme aura été la mise en scène tout à fait fallacieuse et contradictoire de l'événement singulier qu'aura été un phénomène religieux à une époque donnée. Le marxisme est quelque chose qui s'est présenté comme une trahison de Marx. D'autre part, il s'est passé quelque chose d'encore plus important à mon avis, c'est la découverte de Freud. Cette découverte, on n'en parle pas assez, on ne perçoit pas encore pleinement les conséquences qu'elle a quant à l'appréciation du phénomène religieux ou du phénomène de la famille. De même, le marxisme était, avant tout, une appréciation fondamentale du phénomène de l'État.

M. C. : Exemple?

PH. S. : Le freudisme suit dans le temps l'apparition du marxisme. Mais, là aussi, il y a blocage, il y a arrêt de la compréhension dans la pensée humaine de cette découverte, et il s'ensuit sa diffusion fade, absolument privée de sa vérité, telle que, vous le savez très bien, elle a été appliquée aux États-Unis. Ce qui m'a permis de dire un jour que le marxisme s'était transformé en peste en Union soviétique et la psychanalyse en choléra aux États-Unis, et que nous vivions désormais entre la peste et le choléra.

M. C. : Psychanalyse, si je vous comprends bien — je me mets un peu à la place des auditeurs —, psychanalyse normalisée ou normalisante, contre quoi, par exemple, en France, réagit sainement et vigoureusement un Jacques Lacan?

PH. S. : Exactement.

M. C. : Seulement, nous allons nous heurter bientôt à un problème : c'est que, dans la mesure où Lacan reprend en profondeur la pensée freudienne contre ces normalisations, dans la mesure où on peut le considérer comme héritier de cet ouvrage fondamental dont vous me parliez tout à l'heure à si juste titre, *Malaise dans la civilisation,* c'est là une lignée, une tradition, un courant de philosophie lucidement et profondément *pessimiste :* pessimiste sur l'homme et son désir — presque du Pascal en creux —, pessimiste sur le sexe, la politique et sur le rapport des deux : le sexe est quasiment synonyme de pouvoir; le pouvoir passera sans cesse au pouvoir; les révolutions idéologiques sont fallacieuses ; la révolution sexuelle, comme l'a dit publiquement Lacan à Vincennes, est un piège à cons! Mais qu'est-ce que tout cela sinon l'acceptation nue et crue d'un véritable désespoir politique? D'un désespoir que rien au monde ne peut et je dirai presque ne *doit* soulager — telle est la rigueur de ces penseurs —, d'un désespoir que seule peut briser, briser, oui, trancher et non résoudre, une révolte absolue à la source de laquelle certains, dont je suis — je pense aussi à Lardreau et Jambet dans *l'Ange* —, sont allés chercher une transcendance. Moi, entre tous ceux qui sont allés la chercher dans la pensée ou dans l'Être, je suis celui qui l'a aussi reconnue dans la rue de Mai — ou qui a cru l'y reconnaître. Là, nous sommes très séparés, j'en conviens, pour le moment...

PH. S. : Attendez, je n'ai pas terminé cette affaire. Pour moi, d'abord, pessimisme et optimisme ne sont pas forcément contradictoires. Il y a un très beau mot d'un marxiste important dont on parle de plus en plus, qui s'appelle Gramsci : « *pessimisme de l'intelligence, optimisme de la volonté* ». Gramsci a, d'une certaine façon, envisagé une politique qui serait plus lucide, une autre politique. En tout cas...

M. C. : Je ne vois pas bien, pas du tout, même, quel peut être le fondement, et la chance, d'une volonté contre structure et nature à la fois! L'énergie,

parlons franc, l'énergie du désespoir suppose ontologiquement une possibilité d'espérance, quand
même, ou alors on s'étourdit!...

PH. S. : Rien n'a démenti, bien au contraire, le
pessimisme de Freud.

M. C. : Rien n'a confirmé un optimisme volonta-
riste.

PH. S. : Rien n'a confirmé un optimisme volonta-
riste, mais rien non plus n'a pu encore être
construit sur ce pessimisme d'une connaissance et
un optimisme de la pratique. Parce que, encore une
fois, et c'est ma thèse, tout le monde s'est acharné
à défigurer et enfouir ces deux vérités.

M. C. : Toujours ces méchants, qui s'acharnent!
Mais alors achevez de définir ce qu'on a enfoui.
C'est indispensable à votre interprétation de Mai.

PH. S. : Ce qu'on a enfoui, c'est précisément ce qui,
à mon avis, resurgit en 1968. Un : la révolte
directe contre toute forme d'autorité et une mise en
question immédiate, sans attendre, qui fait tache
d'huile, qui est comme une étincelle mettant le feu
à la plaine...

M. C. : Oui, traînée de poudre...

PH. S. : Voilà... Une mise en question immédiate,
expérimentale, de la toute-puissance de l'État, de
ce drainage des forces de la production et de la
pensée vers le couvercle de l'État. Deux : le
resurgissement tout à fait extraordinaire, en 1968,

de ce qui a passé pendant tout le XXe siècle pour
être les anomalies, les écarts, plus ou moins
secondaires dans la culture et la civilisation.

M. C. : Les aberrances, les déviances et les utopies,
oui...

PH. S. : Ce qui a été défini comme aberrations,
déviations et utopies. Ce qui a été défini comme dégé-
nérescences par les fascistes et par les staliniens a
resurgi en plein cœur, en plein cœur de Paris,
pour le coup, sur les murs et dans les bouches.

M. C. : Et qui subsiste encore de nos jours, mais
rejeté dans les marges. D'où le mot marginal, c'est
bien ça ?

PH. S. : Je suis en train de dire qu'on veut
remarginaliser ce qui est *le centre même de notre
culture.*

M. C. : Et moi, je dirai plutôt — je pèse mes mots :
*la grande et profonde protestation de notre être
contre notre culture :* protestation qui est déjà la
source de notre prochaine culture !...

J. P. : Il vous reste à peu près une minute et demie.

M. C. : Une minute et demie pour dire mon
interprétation à moi, je ne peux pas. Peut-être
pourrais-je la mettre en tête de l'émission de
demain, du prochain débat. Ma réponse à Sollers,
pour aujourd'hui, ne sera pas exactement une
critique. Elle consistera à dire que voilà une
interprétation philosophique qui se tient bien, qui

fait appel à une systématique freudienne et marxiste, freudo-marxiste. Bref, je prends acte qu'au fond il est beaucoup plus philosophe que moi.

. Mon interprétation fut-elle philosophique? Non, pas tellement. Je me suis défini dans mon dernier livre — ça ne me paraît pas trop mal, ce n'est ni trop prétentieux ni trop modeste — comme un « journaliste transcendantal », comme quelqu'un qui voit l'instant et découvre, croit découvrir par-derrière quelque chose de plus fondamental et d'originel, avec ce que j'appelle un pinceau (comme on dit au cinéma), un pinceau de projecteur très étroit, très limité au vécu, à l'immédiat. Après, parfois, j'essaie de gagner de proche en proche vers le reste de notre époque, voire en direction des autres. Mais j'essaie de tout appuyer à ce contact, à cette prise directe sur l'événement : toujours toucher terre, ou s'y retremper sans cesse. C'est beaucoup plus modeste que la philosophie, encore que cela puisse inclure — n'oubliez pas que je suis kantien — une critique de toute philosophie possible, et donc un déracinement radical de la possibilité même des systèmes dont Sollers se réclame pour interpréter Mai.

J. P. : Maurice Clavel, demain, pour commencer notre émission, nous reprendrons votre interprétation de Mai 68 ; ensuite, nous aborderons un autre thème : la crise du marxisme.

Deuxième entretien

Mardi 20 juillet 1976

J. PAUGAM : Avant d'aborder le thème de ce deuxième des cinq face-à-face, ce thème étant : la crise du marxisme, Maurice Clavel, il serait peut-être bon que vous prolongiez un petit peu ce que vous disiez hier de Mai 68.

M. CLAVEL : Oui, parce que je n'ai pas eu le temps, si vous voulez, de placer mon interprétation à moi de Mai 68, qui n'est pas celle de Sollers, dont je disais qu'elle était beaucoup moins philosophique, qu'elle était tout au plus celle d'un journaliste transcendantal.

Je m'explique. Certes, je ne vais pas raconter aux auditeurs toute mon analyse, d'abord pour ne pas les lasser. De plus, certains la connaissent. Je la résumerai donc sous le signe du vécu. C'est un fait que j'ai été converti — je dis bien « j'ai été », pas « je me suis » —, j'ai été converti au christianisme d'une façon non pas transcendantale, mais transcendante, sous le coup, sous les coups de ce que j'ai cru être une très grande brutalité d'En-Haut. Et j'émergeais à peine de cette tragédie — qui avait duré quatre ans, qui avait été une très grave maladie, presque mortelle, avec perte de tout intérêt pour toutes choses et moi-même — que je me suis mis à rejeter, à re-jeter un regard forcément neuf sur notre monde, et qu'au nom même de ma foi je l'ai trouvé, je l'ai découvert insupportable, et notamment dans les racines affleurantes de tous les régimes politiques où nous vivions, que ce soit communisme, d'un côté, capitalisme, de l'autre. J'ai trouvé, donc, ce monde à renverser, oui, à subvertir, au nom même de ce qui faisait désormais ma vie, ou mon existence...

En même temps, j'étais critique de télévision au *Nouvel Observateur* et, étudiant un peu le spectacle de cette époque tel qu'il se produisait ou se reproduisait à fleur d'écran, je peux dire que j'ai vu le néant. J'ai réalisé en quelque sorte l'être du non-être. D'autre part, j'étais professeur de philosophie, deux cents élèves par an au lycée Buffon, et je me demandais, au contact de mes élèves : comment ces gens, qui ont vingt ans et qui possèdent quand même au moins l'élan vital de la vingtième année, peuvent-ils entrer dans ce monde sans se sentir absolument perdus, anéantis, laminés, passés à la moulinette? Je me suis dit : ce n'est pas possible! Si j'étais — moi, j'ai eu la guerre à vingt ans, un privilège! —, si j'étais à leur place ce ne serait pas tolérable. Et ce néant, évidemment — là, c'est un

converti qui vous parle, Sollers —, ce néant, je l'ai
surtout baptisé néant spirituel, c'est-à-dire néant
des raisons de vivre, des raisons de vivre de
chacun, des raisons de vivre ensemble, beaucoup
plus qu'atrophie des possibilités physiques, psy-
chiques, libidinales, etc., encore qu'il y contribuât.
Néant de ce par quoi « l'homme passe infiniment
l'homme » et qui seul le fait homme : donc Dieu,
sans doute, ou mort, ou absent, ou mieux — ce fut
mon éclair — refoulé! Éclair que je monnayais
dans *l'Observateur*, en 1966, 1967, sans trop de
conscience, en modestes fusées éclairantes, qui
m'échappaient. Cela ne peut pas durer, disais-je. Il
va venir bientôt, il va venir tout à coup, une révolte
totale, une révolte qui sera « fille de l'Esprit ». Et
comme je savais que ces gens — ces jeunes qui ne
pouvaient vraiment, ni vitalement ni spirituelle-
ment, entrer dans ce monde — allaient tout secouer
d'une rébellion totale et n'en connaîtraient pas
clairement les raisons, il se passerait — c'est là ma
psychanalyse existentielle, oui, mon Freud retourné
du côté de l'Esprit —, il se passerait que cette
révolte irrévélée de tout l'être serait physique et
physiquement convulsive, parce que indéchiffrée.
Et ses convulsions même, loin de les rejeter par
avance, je les appelais, au contraire, à cause de
leurs chances libératrices : d'où cette phrase, que
j'ai écrite avec trois ou quatre variantes : « *Espé-*

rons la convulsion salutaire, préparons-la. » De telle
sorte, Sollers, que, dès le 3 mai 1968, débarquant à
Paris, gare de Lyon, voyant sur un journal l'émeute
étudiante de la nuit, j'ai dit à ma femme, très calme :
« *Tiens, on y est.* » Et, allant aussitôt à mon
journal, j'ai écrit : « *A l'heure où s'annoncent les
convulsions que j'annonce avec une sorte d'espoir
depuis des années, il serait beau de faire devant ce
déchaînement de violence la bouche en cul de poule
du moraliste humaniste! En vérité, je ne savais pas
que l'Esprit* (E majuscule, ça vous plaira, hégélien
Sollers!), *que l'Esprit refoulé reviendrait si tôt
exercer les ravages de sa vengeance, en des colères
sans plan et sans plate-forme, en des fureurs saintes
et sans dogme, en transes où se mélangent les gestes
du réveil et de l'agonie.* » Et quatre pages à la suite
en quelques minutes. Parlons franc : ce fut là que je
devins vraiment révolutionnaire, vraiment et autrement que tout autre, voyant que le changement
total était possible, était là... J'avais beau distinguer encore, en face, l'appareil de l'État, des
valeurs naguère prisées, et même ce de Gaulle que
j'avais admiré, aimé au point que vous savez, j'ai
mis ce mouvement au moins à égalité avec
de Gaulle. J'ai vu, le premier jour, de Gaulle
balayé parce que c'était le souffle de l'Esprit,
l'Ange exterminateur, ou encore, si vous me
permettez une autre métaphore, c'était la terre qui

se fracturait, qui s'entrouvrait dans ses profondeurs, c'était le grand « schisme » de toute notre
culture — notre culture étant tout ce qui nous avait
faits... Alors, de Gaulle ou pas de Gaulle, finalement, ça n'avait à mes yeux aucune importance.
Lui-même a reconnu quelques jours après qu'en
cette explosion, « la France avait été exem-
plaire »...

Ce qui m'a même semblé différent de la Commune de Paris, c'est que la Commune avait quand
même une sorte de projet politique plus avoué. En
revanche, dès qu'on a commencé à s'étonner de ces
émeutiers et qu'on demandait ce qu'ils voulaient,
ils répondaient : « *Tout.* » Quand on leur demandait ce qu'ils voulaient changer, ils répondaient :
« *Tout.* » Et quand on leur demandait : « *Que
voulez-vous mettre à la place?* », ils vous riaient au
nez et, à mon sens, ils avaient raison de rire
puisque, si c'est le terrain fondamental d'une
culture qui change, c'est-à-dire d'abord les codes,
les grilles, les *a priori* de nos mœurs, de nos gestes,
de nos métaphysiques, de nos magazines et de nos
pensées, il est bien évident que l'on ne peut pas
prédire ni définir la suite comme le fait un projet.
Les mots manquent aux choses. Donc, c'était
vraiment, selon moi, la *révolution culturelle,* en un
sens beaucoup plus profonde que celle des Chinois.
Hé oui! Et alors, donc, cette totalité m'a fait

penser à ce retour de l'Esprit. De Dieu? J'allais
jusque-là, je l'ai dit, sans d'ailleurs me faire insulter
trop. Il fallait bien dire quelque chose! Peut-être
était-ce, je l'accorde, trop confessionnel, trop peu
œcuménique. Et pourquoi — pourra-t-on m'objec-
ter justement —, pourquoi dévoiler la cause profonde de cette névrose et le terme de cette
psychanalyse en acte, au risque de redoubler les
résistances? Je ne fus pas faux, mais hâtif, par joie.
Aujourd'hui, je dirais avec Lardreau et Jambet que
c'est un retour de l'Ange, ou encore, comme je l'ai
timidement proposé à mon redoutable ami le sartrien
Pierre Victor, un retour de l'auto-transcendance
humaine, c'est-à-dire d'une dimension de l'homme
qui, n'en pouvant plus d'être occultée, réprimée,
éclate : auto-transcendance avec fléchissements et
reprises — telle l'inspiration créatrice personnelle —
qui pourrait dé-raidir la liberté chez Sartre, sans la
déshumaniser, au contraire... Après tout, elle était
déjà là chez Socrate, sabotant tout discours et sub-
vertissant la cité même, d'où la ciguë...

Et maintenant, je vais m'en prendre, Sollers,
pour engager vraiment le débat, à Marx et à Freud,
sans colère, sans polémique... Comment commen-
cerai-je? Tenez, figurez-vous que la seule autre
interprétation de Mai qui m'ait un peu gêné,
expliquant, elle aussi, ce côté « tout ou rien » de
ces émeutiers-là, c'est celle d'un psychanalyste

freudien très orthodoxe — je dirais peut-être avec vous très normalisant —, du Dr Mendel, dans *la Crise des générations...* Oui, je vois, vous souriez, ou vous êtes plein de rage, mais il disait ceci : s'ils veulent tout, s'ils exigent tout ou rien, s'ils veulent tout détruire et cassent tout, c'est le signe, c'est plutôt le symptôme typique de la régression infantile à un état préœdipien, où s'impose l'image de la mère mauvaise, la société et l'État étant cette mère mauvaise. C'est ainsi que Mendel, par la faute ou plutôt par le défaut d'Œdipe, reconstituait, si j'ose dire, le casseur. Et c'est un fait qu'il pouvait y avoir de cela chez ceux que j'ai vus à l'œuvre, éléments incontrôlés élémentaires, faute de pères. Possible. En tout cas, moi, qu'il y ait eu autre chose à quoi je pusse souscrire, qu'il y ait eu le retour de l'Absolu de l'homme, je l'opposais à ce freudien normalisant, mais comme un acte de foi, une aperception d'espoir. Bref, je ne vois pas Freud du bon côté de la barricade. Voilà pour Freud. C'est sommaire. Nous développerons tout à l'heure, si vous voulez bien.

Pour Marx, il est incontestable que, là, je me trouvais en porte à faux vis-à-vis de mes plus proches camarades. Avec ce grand retour de l'Absolu refoulé, je voyais toute la culture du XIXe siècle littéralement foutue en l'air, alors que — je suis obligé de le concéder, je l'ai toujours concédé — la quasi-totalité de ces émeutiers-là, de ces jeunes casseurs-là, se réclamaient ouvertement et explicitement du marxisme. Il y eut une seule inscription sur les murs de la Sorbonne, « *marxisme opium du peuple* », qui me semblait avoir quelques années d'avance, mais je dois être honnête et dire qu'il n'y en avait qu'une. Et alors, j'ai dû interpréter, peut-être là un petit peu trop adroitement, pour faire s'accorder les faits et ma théorie. J'ai dit ceci : voilà des jeunes gens qui contestent toute une culture — au sens profond, sur lequel nous sommes, je crois, d'accord, vous et moi —, mais avec quoi contestent-ils cette culture? Avec leur être, avec leur vie, avec quelque chose qui, forcément, n'est pas encore un concept, qui n'est pas encore un système. Donc, ils ne « savent », à la lettre, entre guillemets si vous voulez, ils ne « savent » pas avec quoi. Et, comme nous sommes dans une époque où il faut plus que jamais « savoir », alors, pour pouvoir contester plus consciemment toute la culture de ces deux derniers siècles, ils sont allés chercher à l'intérieur de cette culture l'idéologie qui leur semblait contestataire par excellence, c'est-à-dire le marxisme. Donc, ils se sont raccrochés au marxisme pour pouvoir dire quelque chose dans leur contestation de notre culture, alors que le marxisme était probablement le plus contestable de cette culturelà! Bref, en vertu de cette équivoque, de cette entourloupette des choses, si vous voulez, ils ont fait — et ce fut trois ou quatre ans mon acte de foi, mon pari et mon hypothèse —, ils ont fait au marxisme un été de la Saint-Martin! Mais ce n'était qu'une hypothèse, je le répète, et l'été de la Saint-Martin est bref et j'ai parfois trouvé le temps long, bien long, surtout de 1970 à 1975 où marxisme et freudisme fleurissaient comme jamais chez mes camarades. J'avais beau comparer cette exubérance triomphale à la dernière hampe mortelle de l'agave, j'étais inquiet, je l'avoue; avant 1968, dix cocktails freudo-marxistes par an; après 1968, des centaines! Enfin, c'est mort, c'est fini. Ça gâtifie, et même ça commence à savoir que ça gâtifie. Ouf! Et puis il y a eu des gens...

PH. SOLLERS : Ah! Ah!

M. C. : Juste une minute! Je savais, je croyais savoir où en étaient, où allaient mes amis et camarades, surtout les malheureux, surtout les tourmentés — parfois, hélas, les désespérés. Au long de l'action commune, je me suis abstenu de les importuner. C'est surtout en moi-même que je me suis permis de leur donner rendez-vous, au sens — vous connaissez peut-être ces deux répliques admirables du *Soulier de satin,* entre Dona Prouheze et Dom Camille : « Prouheze : *Adieu, je ne vous reverrai jamais!* Camille : *Je vous donne rendez-vous!* » —,

eh bien, en ce sens-là, je leur ai donné rendez-vous.
J'ai attendu, sans les avoir quittés jamais, que nous
nous retrouvions, que nous nous *y* retrouvions tout
à fait. J'ai attendu longtemps et ce n'est pas fini...
Mais voici que j'ai vu tout à coup, depuis un an, en
moins d'un an, surgir sinon des actes, du moins des
écrits, des livres qui sont maintenant à considérer.
Je pense à Glucksmann (*la Cuisinière et le Mangeur
d'hommes*), à Lardreau et Jambet (*l'Ange*) et encore
à cet *Espoir gravé* d'Hélène Bleskine, qui est
vraiment la suite de Rimbaud passée par Mai 68.
Et je me suis dit : ces livres-là, j'aurais été, bien sûr,
incapable de les écrire, mais je peux dire que, dès le
3 mai 1968, je les avais *vus*. Ou plutôt je ne les
découvre pas, je les reconnais. Tout se passe,
pardonnez-moi, je suis prétentieux sans doute, tout
se passe, Sollers, comme si mon rendez-vous était
tenu. Et je crois que cela ne s'arrêtera plus. Dans
l'espace enfin libéré par cette fracture culturelle,
toute une pensée neuve s'ébranle, s'élance, s'en-
gouffre — en tous sens, mais qu'importe, et peut-
être tant mieux. Demain, Sollers, la vôtre, la vôtre
propre! Abandonnez-moi donc votre Marx, votre
Freud, vos dogmes! A vous la parole! Commen-
cez! Et pardonnez-moi ma passion...

PH. S. : Eh bien voilà, Freud nous donne rendez-
vous, et Marx nous donne toujours encore rendez-
vous, et c'est là ma thèse, contradictoire avec la

vôtre. J'ai écouté avec beaucoup d'intérêt tout ce que vous avez dit, parce que, comme toujours, je pense que vous allez droit à l'endroit où il faut poser les questions. Personnellement, je ne me considère pas comme chrétien et je n'ai pas vécu comme vous cette intrusion dans la subjectivité que vous appelez l'intrusion du divin. Et j'aime beaucoup la façon dont vous dites : « J'ai été converti. » Car je pense que, dans cette formulation même, il y a une vérité qui n'est pas d'appropriation, mais qui est une vérité d'expérimentation. Ça m'intéresse beaucoup. Quand vous dites que vous avez été plongé, saisi, mis en confrontation avec quelque chose qui, à l'intérieur de la subjectivité, fait pression, ça me paraît absolument important.

M. C. : J'ajouterai — parce que, souvent, on prend ce passif pour un esclavage : j'ai été libéré de ma petite individualité, et recréé sujet.

PH. S. : Je voulais y venir, car c'est du sujet que je voudrais parler. Ce sujet est peut-être la grande énigme à laquelle nous avons affaire. Mai 68, ça a été, pour moi, la révolution dans la révolte *en tant que sujet*. Or, cette question du sujet, qu'est-elle devenue, précisément au XXᵉ siècle? Il y a un grand penseur du sujet, c'est Hegel, vous l'avez évoqué tout à l'heure en employant le terme d'« Esprit » (mais je suis toujours un peu méfiant quand on emploie le terme d'« Esprit » en français, parce que les Français sont justement les gens qui n'ont pas été capables de lire Hegel). Et, quand vous dites avec Hegel, *Geist,* l'Esprit, dans ce sens-là, je vous rejoindrai une seconde. Qu'est-ce qui s'est passé avec cette magnifique philosophie qu'est et que reste le travail extraordinaire de Hegel...

M. C. : Je vous l'accorde.

PH. S. : ... qu'est-ce qui s'est passé avec cette formulation de la plus grande importance pour l'avenir du monde et de la pensée, que désormais la vérité devrait être conçue comme *sujet* et non plus comme *substance?* Que s'est-il passé, dans ce qui est rentré à l'intérieur du marxisme, de cette pensée de Hegel : du sujet? Nous avons affaire, à mon avis, à une catastrophe, car les marxistes se sont acharnés à nier la dialectique en tant que négatif, en tant qu'elle est ce travail du négatif comme travail profond du sujet.

M. C. : Écoutez, Sollers, je ne saurais absolument pas admettre votre grandiose formule de Hegel : « *La Vérité doit être conçue comme Sujet et non plus comme substance.* » Pourquoi? Parce que, vraie ou non, elle est *dogmatique!* Parce qu'il n'y a absolument aucun moyen rationnel de démontrer que la Vérité est Sujet sinon en faisant le détour régressif par la bonne vieille substance spinoziste, sujet de ses attributs ou prédicats. Hegel, donc, ne peut que *décréter,* au début de son œuvre et de sa

grande *Logique,* que l'Être est Esprit et l'Esprit
Sujet : postulats sans nulle preuve; postulats arbi-
traires et sournoisement anthropomorphiques...
oui, conçus à l'imitation de l'homme du *cogito* chez
qui l'esprit a conscience d'être sujet et le sujet
d'être esprit — ce qui fait que, contrairement à
l'extase de ses disciples, Hegel n'engendre nullement
le *je* et l'esprit humain dans le développement de
sa Dialectique puisqu'il les introduit frauduleuse-
ment au départ : le *cogito,* que je vomis, s'en sort!...
Que dis-je! A qui Hegel emprunte-t-il plus précisément, et d'injustifiable manière, cette Vérité
qui est Sujet? Eh bien, tout simplement à Celui
qui a dit : « *Je suis la Vérité* », au Christ!
Et à Celui qui a dit : « *Je suis Celui qui suis* » :
Dieu même, ouvrant et fermant ainsi la question de l'Être!... Tout comme il emprunte la
Dialectique elle-même à la Trinité! Autant de
gigantesques pillages! Injustifiables pour deux raisons : parce que tout se perd en passant de la
religion chrétienne à la philosophie, c'est-à-dire, en
gros, de l'existence à l'essence; injustifiables même
dans le contexte hégélien qui, à mon sens, est dans
ses profondeurs ultimes un naturalisme, aussi spirituel qu'on voudra, mais enfin une métaphysique
de l'étant...

Cela dit, je vous accorde très volontiers, mais de
mon point de vue, par le Christ, que la Vérité est

Sujet ; et je ne saurais trop vous encourager lorsque vous dites que les marxistes se sont acharnés à nier cette assertion formidable, *puisque Marx lui-même la rejette dès le départ* par son matérialisme dogmatique de base, ne serait-ce que dans la formule aussi barbare qu'illustre de la « dialectique remise sur ses pieds » ! Vous avez donc tout à fait raison, à cela près qu'en cette catastrophique sottise Marx lui-même a diablement aidé les marxistes ! Mais poursuivez.

PH. S. : En tout cas, c'est une question à la fois politique et philosophique. Par exemple, entre *les Cahiers sur la dialectique de Hegel* de Lénine et les schématisations catéchistiques de Staline, il y a quelque chose qui reste encore à apprécier. Ce sont des questions qui ont l'air, comme ça, pour les auditeurs, peut-être un peu abstraites, mais de la plus grande importance. Mais je voulais en venir à Freud qui nous donne aussi rendez-vous...

M. C. : Attention, nous en étions à Mai 68 et au Sujet. Vous m'avez accordé qu'il s'agissait alors de la libération du Sujet en tant que tel.

PH. S. : Vous avez dit retour de l' « Esprit », de l' « Ange », ou de quelque chose qui habite l'homme en tant que divin. Moi...

M. C. : Qui habite l'homme en tant que divin et qui est l'homme lui-même aussi !

PH. S. : Moi, je dirais : retour du refoulé.

M. C. : Voilà bien des accords! Voyons nos différences!

PH. S. : Qu'est-ce qui m'a bouleversé en Mai 68? Voyons, je suis écrivain, un écrivain qui a des positions politico-philosophiques, lesquelles essayaient de se situer, à l'époque, autour du parti communiste. Je n'étais pas membre du parti communiste, mais je pensais que la continuation de l'Histoire passait forcément par là. Qu'est-ce qui m'est arrivé en 1968, de mon côté, et pour vous répondre? Comment s'est manifestée concrètement cette irruption du sujet ou, si vous préférez, de l'Esprit au sens hégélien? C'est que j'ai vu le parti communiste, j'ai vu la gauche, je me suis vu moi-même en train de *ne rien comprendre* à ce qui arrivait. Comme idéologue, je ne comprenais pas : mais, comme écrivain, oui. J'ai vécu l'irruption d'une langue vivante dans une langue morte. Et je vais tout de suite à quelque chose qui me paraît clarifier les prises de position. Je crois que c'est le langage de Mai 68 qui fait son relief, sa grandeur et qui est annonciateur de quelque chose.

M. C. : Le langage de Mai 68, ne serait-ce que pour nos auditeurs, précisez : parce que, s'il s'agit des inscriptions, elles sont fulgurantes, ce sont des fusées; mais, justement, c'est leur simplicité qui en fait le diamant, alors que vos travaux et vos libérations mêmes du langage sont pour l'instant beaucoup plus difficiles.

PH. S. : Pour l'instant.

M. C. : J'ai bien dit pour l'instant.

PH. S. : La parole de 1968, ses inscriptions, sa fulgurance, d'où venait-elle? Elle venait d'un amoncellement silencieux, quantitatif, pendant des années et des années. Accumulation de ce qui s'était fait au niveau de ce qu'on a appelé les avant-gardes, les marginaux de tout le XXe siècle, ceux qui ont été pourchassés à travers toute l'Europe par les régimes totalitaires, fascistes et staliniens. La parole de 1968 était celle de cette Internationale révolutionnaire du langage. Le langage, je ne veux pas dire simplement les inscriptions, je veux dire la façon d'être, de vivre, la façon d'avoir un corps, la façon de mettre ce corps en relation avec d'autres corps, le langage au sens large, si vous voulez...

M. C. : Il faut bien préciser cela.

PH. S. : Il ne s'agit pas des citations célèbres de Mai, mais d'une nouvelle façon de parler et de vivre qui a explosé à l'époque dans l'espace et dans le temps. La lumière noire et rieuse de Mai venait de l'anarchisme, du dadaïsme, du surréalisme... Et je voudrais citer, parce qu'ils sont un peu absents du débat, des gens qui sont extrêmement importants, et peut-être que c'est eux qui avaient inscrit sur les murs la formule que vous avez repérée tout à l'heure : « *Le marxisme est l'opium du peuple...* »

M. C. : Retournant contre Marx, je le rappelle, ce qu'il disait de la religion.

PH. S. : Cette phrase est typique de l'esprit situationniste.

M. C. : Les vrais précurseurs.

PH. S. : Les vrais, oui, mettons les choses au point pour ne pas tenter de constituer une hégémonie sur les forces révolutionnaires. Les situationnistes sont des gens qui ont fait un certain travail souterrain jusqu'en 1968. Les idées motrices de l'époque ont presque toutes été situationnistes, bien plus que « marxistes » au sens du marxisme dogmatique caricatural. Le livre important, là, paraît en 1967, c'est *la Société du spectacle* de Debord.

M. C. : A quoi j'ajouterai le *Traité de savoir-vivre à l'usage des jeunes générations* de Vaneigem.

PH. S. : Et la revue *l'Internationale situationniste*. Ce sont des gens qui ont senti, pressenti, écrit la nouveauté qualitative de la révolte. Or, précisément, ce qui reparaît chez eux et avec eux, c'est un sens aigu, dans la formulation même, de la dialectique hégélienne. Sa souplesse, son intelligence, son « ironie ». Ils ont montré concrètement qu'un intellectuel révolutionnaire devait être comme un poisson dans l'eau du débordement contestataire et, surtout, un spécialiste de la compréhension du *spectacle,* le spectacle étant la nouvelle dimension de l'adversaire idéologique suprême, absolu. Cela est encore à venir...

M. C. : Bon, mettons les pieds dans le plat : m'accusez-vous, par là, d'être un homme de spectacle?

PH. S. : Mais non, je dis simplement que la conscience révolutionnaire passe désormais par la conscience du spectacle, et c'est cela qui fait si peur aux partis.

M. C. : Non... Parce que j'ai dit : « J'ai donné un rendez-vous aux amis et il est tenu », vous essayez de me court-circuiter, de me contourner par un rendez-vous ultérieur, de telle sorte...

PH. S. : C'est de bonne guerre!

M. C. : C'est de bonne guerre, oui. Vous êtes avisé. Chacun de nous essaie d'avoir raison plus tard que l'autre, de rire le dernier, voilà... Mais permettez-moi un instant de vous faire un léger reproche. Vous parlez de Hegel. Que la Vérité soit Sujet, tout à fait d'accord. Qu'on ne retrouve guère ou plutôt rien de cela dans Marx et encore moins dans le marxisme, tout à fait d'accord — sous la réserve monumentale que j'ai faite, disant que moi, chrétien, j'y retrouve et reprends mon bien... Mais qu'est-ce que vous êtes en train de faire, Sollers? La différence d'avec moi-même, si vous voulez, c'est que vous essayez d'adapter à la compréhension de Mai 68 toutes les philosophies des deux siècles passés, ou du moins tout ce qu'il y avait selon vous, et à juste titre, de vigoureux et de décisif dans les philosophies de ces deux siècles. Alors que moi, je prétends que la fracture de Mai 68, balayant une culture, a renversé par là même, et par la racine, par la base, toutes ces philosophies du siècle passé, quel que soit le génie des philosophes! Donc, ma position est beaucoup plus radicale. Mai 68 fut la rupture, la brisure de tous les anciens moyens de comprendre. Mai 68 ne peut *se* comprendre, ne peut commencer à se comprendre qu'*après*. Moi, j'entrevois, j'intuitionne, je devine. Si vous croyez savoir — et vous croyez savoir —, quelle que soit votre vigueur intellectuelle, étant donné vos instruments d'intellection, vous vous trompez! Forcément!

En outre, vous savez que j'ai une formation « kantienne ». Philosophie, direz-vous, ancienne philosophie! Justement pas! Bien plutôt Critique, Critique au sens fort du mot, critique et destruction fondamentale de toute métaphysique possible. N'oubliez pas le titre kantien, « Prolégomènes à toute métaphysique *future* »! Je crois que Kant a liquidé Leibniz parce qu'il ne connaissait que Leibniz. Hegel se présente comme une réponse à Kant, une réaffirmation par le fait et par le génie de la possibilité d'une métaphysique. Génie à part, c'est risible. C'est, je crois, cela qui est mort. C'est cela que Foucault a récemment fait passer à la casserole en quelques pages presque kantiennes des *Mots et les Choses,* en 1966; cela que Mai 68 a achevé de ruiner de façon plus implicite, mais irrésistible : événement qui tue toute pensée d'avant. Je crois, Sollers, que nous sommes dans un vide beaucoup plus grand, dans un néant beaucoup plus radical que vous ne le prétendez; et que vous essayez non pas de ravauder, non pas de rapiécer, c'est beaucoup plus profond que ça, mais que vous essayez quand même de sauver une interprétation selon les deux siècles passés de ce qui est venu brutalement leur mettre un terme et en consacrer l'inanité. Voilà la différence!

J. P. : Philippe Sollers, une minute comme début de réponse, vous reprendrez demain.

PH. S. : C'est en effet là une divergence d'interprétation, je n'essaie de ravauder rien du tout. J'avance l'hypothèse qu'aucune société à aucun moment ne peut se passer de philosophie.

M. C. : Je le conteste. Mais, enfin, si ça l'amuse!... Au fait, vous n'allez tout de même pas fonder la philosophie sur un besoin social! Si elle est, elle est plus haut que cela!

PH. S. : On verra. Je suis d'accord sur le fait que la philosophie doit être critique et qu'elle doit essayer avant tout d'être critique et révolutionnaire, mais il est possible qu'elle devienne, comme en ce moment, simple spectacle de philosophie.

M. C. : Je vous objecte — c'est au ping-pong qu'on finit ça —, je vous objecte le mot de Foucault disant : après Kant, chez Hegel et Marx, etc., on baptise désormais « critique » des lignes de partage plus ou moins obscures et confuses, n'importe lesquelles ! Alors, attention à votre « critique » : aujourd'hui, tout est dogmatique et se dit « critique » ; ça fait bien ! Reconnaître, à présent, que la philosophie doit être critique ne vous engage pas à grand-chose, pour ne pas dire à rien...

J. P. : Si je comprends bien, la réponse sera pour demain, Philippe Sollers.

PH. S. : Je répondrai demain.

M. C. : Pardon pour mon obstruction...

Troisième entretien

Mercredi 21 juillet 1976

J. PAUGAM : Philippe Sollers, hier, à la fin de l'émission, Maurice Clavel mettait en cause la possibilité de toute philosophie, de toute métaphysique. Vous n'avez pratiquement pas eu le temps de répondre!

M. CLAVEL : Non. J'accusais même Sollers d'être ou de se faire l'héritier, le disciple d'une grande tradition philosophique pour interpréter un événement, Mai 68, qui, selon moi, l'a cassée toute. C'est bien ça?

PH. SOLLERS : Voilà; alors, je dirai que ce n'est pas vrai, et je vais essayer de m'expliquer là-dessus. Je disais : aucune société ne peut se passer de philosophie, il y a toujours de la philosophie, et je pense que Mai 68 a manifesté comme un retour du refoulé quelque chose qui, en effet, a été la crise de la philosophie, après le marxisme et le freudisme, et après Hegel. Cette crise de la philosophie, qui a pour conséquence le désarroi de plus en plus évident et comique des philosophes et de la société, c'est pour moi la transformation même de l'expérience philosophique en expérience *pratique*. Et une pratique vivante, une pratique concrète, qui est celle de tout l'art moderne.

M. C. : Attention, attention! Comme vous y allez! D'abord vous désignez déjà la *praxis* marxiste, très visiblement, la philosophie s'achevant par et dans le devenir du prolétariat, etc. — je connais aussi mes classiques — et, aussitôt, vous sautez un petit peu vite, comme si c'était pareil, à l'art moderne. Attention, au moins pour nos auditeurs!

PH. S. : Je vais essayer de m'expliquer. Il fallait s'attendre à ce que Marx et Freud, caricaturés, soient utilisés contre le mouvement de révolte de 1968. Vous avez donné l'exemple de ce livre de Mendel, freudien conformiste, freudien d'appareil. Et puis l'appareil marxiste s'est lui aussi déchaîné contre 1968.

M. C. : L'appareil au singulier?

PH. S. : Les appareils, les appareils.

M. C. : Et comment savez-vous, ô marxiste, que vous n'êtes pas un appareil de plus?

PH. S. : Justement, parce que je suis seul!

M. C. : Bravo! Quoique, chez Marx, ce soit suspect en diable!

PH. S. : Il y a une pensée de Marx sur l'histoire, il y a une pensée de Freud sur l'inconscient, et ces pensées ne sont pas réductibles au « marxisme » et au « freudisme »; autrement dit, aux entreprises plus ou moins atroces, douteuses, rentables, qui se sont construites dessus. Ces pensées justifient, paraît-il, des états et des corporations, c'est-à-dire des installations sociales, des rapports de forces. De même, si vous voulez, que les Évangiles justifient bien des choses étranges. Mais, moi, ce qui m'intéresse, c'est en quoi ce sont des *pensées*. Or, ces pensées ont irrigué, influencé des milliers et des milliers d'individus, solitaires, parfois, qui en ont tiré quelque chose de tout à fait original. Vous disiez, le freudo-marxisme est mort, balayé, nous sommes dans le retour d'autre chose qui va foutre en l'air toute la métaphysique, toute la philosophie...

M. C. : Qui est même en train de les foutre en l'air...

PH. S. : Que ça foute en l'air un certain exercice *soi-disant désintéressé* de la philosophie, que ça foute en l'air une *certaine* utilisation, par les appareils politiques ou par les sociétés académiques, de « la » philosophie, oui, mais ça ne va pas foutre en l'air ce qui est passé de ces ruptures de pensée au XIXᵉ siècle dans les *pratiques*. Je m'explique rapidement sur cette histoire d'art moderne. Comment se fait-il que des mouvements de masse se soient *reconnus* dans des phénomènes qui paraissaient jusque-là aussi marginaux que le dadaïsme. le

surréalisme, le situationnisme? Comment se fait-il
que ce soit ce langage de la modernité, combattu
par *tous* les pouvoirs totalitaires, qui ait porté,
parlé, la révolte de 1968? Les individus qui ont fait
la culture du XXe siècle ont été traités pendant
cinquante ans soit de fous, soit de dégénérés, soit
d'esthètes élitistes, hermétiques, et, brusquement,
ce sont leurs mots, leurs espoirs que manifeste la
rue! La crise de civilisation, de génération, elle est
là. Et je dis, encore une fois, que tous les appareils
n'ont rien eu de plus pressé que de faire rentrer
tout cela dans l'ordre. Mais quel ordre? Un ordre
mort. Je crois qu'il ne faut pas confondre un
professeur de philosophie et un philosophe en
acte, et le philosophe en acte, aujourd'hui, c'est
l'artiste, c'est le révolutionnaire, parfois les deux à
la fois.

M. C. : Oui, je ne le conteste pas, je ne conteste pas
le corps de ce que vous venez de dire, mais
n'oubliez pas que le corps de ce que vous venez de
dire est rattaché à une position catégorique :
aucune société ne peut se passer de philosophes, et
la grande philosophie des deux derniers siècles est
toujours vivante, ce que je conteste, et vous ne
m'avez pas démontré le contraire.

Et, surtout, j'ajoute ceci : vous parlez du révolutionnaire comme philosophe. Où en est-il à présent, ici, aujourd'hui, cette année, le malheureux

révolutionnaire? Vous savez comme moi combien la plupart de nos camarades de Mai 68 sont désemparés ou désespérés — perdus, peut-être : on dit déjà, çà et là, non sans délectation, la « génération perdue ». L'est-elle, perdue? Le sont-ils? Question capitale à quoi je réponds déjà : s'ils reconnaissent ou commencent à soupçonner que l'origine et le moteur de leur révolte de Mai fut *transcendante* — transcendance divine ou auto-transcendance humaine, peu importe —, alors, ils meurent, mais comme le grain meurt en terre; alors, leurs désespoirs ne sont que saisons en enfer, « *durs combats* », mais avec « *ardente patience* » et « *influx de vigueur nouvelle* » : ils en sortiront plus forts, trempés, régénérés et nous régénéreront. En revanche, s'ils voient toujours dans leur révolte un principe humain-rien-qu'humain, comme tout le mouvement culturel profond de ces deux derniers siècles fut humain-rien-qu'humain et a donné, sans aucune *déviation* (ah! ces *déviations* faciles!), la situation présente, capitalisto-communiste, alors, Sollers, leur révolte rallie le principe de ce qu'elle condamne, se plante sur la racine même du mal! Ils se ressourcent à la source empoisonnée! Et ça recommence! Ou plutôt ça recommence en eux! La contradiction mortelle se reproduit, s'intériorise, s'in-so-lu-bi-li-se! C'est la définition même de la névrose obsessionnelle incurable! L'angoisse, comme dit Foucault, prend sans fin pour remède ce qui la porte à son comble. Tout se bloque en un morne et circulaire destin de pathologie. Dès lors, pas étonnant qu'ils se désespèrent stérilement, qu'ils se marginalisent, qu'ils *pourrissent,* Sollers, nos malheureux amis! Ah! que je voudrais les éclairer pour rompre leur cercle! Mais vous, Sollers, dans la mesure où vous prétendez que le refoulé resurgi en Mai fut de l'humain-rien-qu'humain, aussi séduisant et distingué qu'on voudra, est-ce que vous ne contribuez pas à leur pourrissement sans remède — sans autre remède que l'aggravation définitive du mal, je le répète! Répondez!

PH. S. : Là, vous m'ébranlez peut-être un peu. Mais c'est si important...

M. C. : Remettons-le. C'est sans doute prématuré en ce débat... Et revenons à la condamnation de ces philosophies où vous voyez la vie — sous certaines conditions —, moi, la mort, sans condition!

PH. S. : Dites que vous cherchez à les tuer!... Cette philosophie, je crois qu'elle est vivante de la façon que j'ai dite. Autrement, elle est embaumée dans l'université ou les appareils des partis. Ou encore elle est soumise à ce tir que vous et vos amis faites, un tir de barrage ou d'attaque, très intéressant d'ailleurs...

M. C. : Le tir de la transcendance?

PH. S. : Le tir de la transcendance, bien. Mais est-ce que ce combat va nous ramener à une position préphilosophique ou bien éclairer en quoi la philosophie fonctionne aujourd'hui? C'est là que nous avons affaire à notre sujet. Qu'est-ce que c'est ce renouveau de la « spiritualité »? Une régression ou un saut? Du passé qui revient ou un futur qui exige de naître?

M. C. : Attention, je n'ai pas dit cela. Si vous voulez me détruire, prenez-moi comme je suis. Je ne vais pas substituer, je n'ai jamais prétendu substituer à des philosophies passées une philosophie de la transcendance, et je vais vous dire pourquoi : parce qu'il n'y a pas de philosophie de la transcendance; et je suis terriblement impopulaire auprès des chrétiens mols et veules, c'est-à-dire auprès de la plupart des chrétiens, en soutenant qu'en dehors des contre-philosophes que furent Pascal et Kierkegaard il n'a jamais existé de philosophie chrétienne, c'est-à-dire de philosophie de la transcendance, qui tienne. Vous savez que je suis très mal avec les chrétiens, très bien avec les athées, c'est peut-être ce qui nous rapproche tous deux : ainsi, dans les critiques journalistiques de *Dieu est Dieu,* s'il y a une critique pour et une critique contre face à face, le chrétien est contre, l'athée est pour. C'est ainsi, par exemple, que le chrétien me reproche d'avoir rappelé

— tenez-vous bien! — que Marx est athée! que Marx est quelqu'un qui veut, avant tout et de part en part, délivrer l'humanité de Dieu! Et là, vous me soutenez, vous êtes tout à fait contre le confusionnisme chrétien actuel, n'est-ce pas?

PH. S. : Complètement.

M. C. : Je répète donc que je n'ai aucune philosophie de la transcendance. J'ai cru voir — c'est la modestie de mon point de vue de journaliste transcendantal —, j'ai cru voir, c'est tout. Et je n'ai pu rien comprendre, en Mai 68 et depuis, que par cette irruption de transcendance qui a cassé nos êtres pour les régénérer et nos philosophies pour ne pas les régénérer du tout. Voilà. Qui êtes-vous en face de cela? Il ne vous reste plus, je le crains, qu'à vous prétendre le seul héritier *vivant* d'une tradition philosophique que vous dites morte et empoussiérée! Mais alors, mon cher, vous êtes un génie philosophique, ou Dieu lui-même, ce qui n'est pas impossible — du moins quant au génie philosophique.

PH. S. : On sort du sujet.

M. C. : Vous vous dérobez à mes éloges!

PH. S. : Ce n'est pas du tout ça dont il s'agit. Je répète ma position à nouveau, c'est que la philosophie existe, elle va continuer de fonctionner. Ce qui fait société a *besoin* de philosophie. Pendant qu'on parle de la fin du roman, les romans paraissent;

pendant qu'on annonce la fin de la philosophie, on publie de plus en plus de philosophie...

M. C. : La philosophie existe parce qu'il y a des livres de philosophie qui paraissent! C'est un peu léger, Sollers!

PH. S. : Ce n'est pas si léger que ça, si, comme je l'ai dit, la philosophie, elle aussi, est devenue un spectacle.

M. C. : La chiromancie, la phrénologie et l'astrologie ont bien « existé » aussi!

PH. S. : La philosophie est le maillon faible de toute une société. Elle ne peut pas s'en passer, il faut qu'elle en consomme.

M. C. : Verbe affreux et affirmation dogmatique, Sollers! Vous ne m'avez pas encore prouvé...

PH. S. : Dans la tête des gens, il y a de la philosophie, aussi simpliste soit-elle. De la plus simple à la plus compliquée. C'est un fait de discours. L'ensemble social « tient » au nom de telle ou telle philosophie. L'URSS tient « au nom » du marxisme. Ici, c'est la crise, l'affrontement. Mais l'enjeu est là. La philosophie, c'est l'illusion discursive qui fait tenir des gens ensemble.

M. C. : Illusion! Quel aveu! Si vous réduisez la philosophie au rôle de faire tenir les gens ensemble, c'est une bien piètre idée de la philosophie, presque policière! A moins, bien sûr, que vous ne parliez d'un consensus très profond, généralement incons-

cient, celui de la culture « option sur l'absolu »,
comme dit Michel de Certeau : mais c'est plutôt le
cas des religions, non de la philosophie et encore
moins d'une philosophie! Et c'est un homme de foi
et non de religion qui vous parle, un homme qui
n'admet que le Christ et l'Amour pour « faire
tenir les gens ensemble »! Et alors tiendraient-ils
ou ne se tiendraient-ils plus?

PH. S. : Il y a eu la religion, il y a maintenant la
science ou, si vous préférez, la religion de la science
avec ses fonctionnaires philosophiques.

M. C. : Oh! que oui, je préfère la « religion de la
science »! C'est très bien vu! C'est ça que les néo-
chrétiens abdicateurs ne voient pas... Mais passons... Je dis donc que je n'ai pas vu en Mai le
retour de la religion — oh non! —, mais peut-être
de la foi et à coup sûr d'une transcendance, d'un
infini, d'un inépuisable en fécondité existentielle et
historique — car c'est ça, ce n'est pas en l'air, la
transcendance! —, cela dans une société dont les
philosophies s'exténuaient et — je vous l'accorde-
rai peut-être — ne servaient plus guère qu'à faire
tenir plus ou moins des gens ensemble, oui, tenir
ou entrer dans le circuit de la hiérarchie des
pouvoirs. Mais alors, pourquoi, Sollers, vouloir les
ressusciter, ces philosophies qui sont toutes de pouvoir, ou inspiratrices, ou instruments, ou complices?
ces penseurs que le prochain livre de Glucksmann

appelle les « maîtres-penseurs », et démasque et dénonce comme tels? Pourquoi, à partir du néant où nous sommes, ne pas chercher, ne pas chercher avec moi, ou avec mes amis si vous voulez?

PH. S. : Je dis que la philosophie telle qu'elle est apparue transformée de façon directe et concrète en 1968, c'est quelque chose qui se fait dans une certaine créativité. Quelque chose qui remet en cause nos habitudes de corps morts et de langue morte. Nous sommes toujours des corps morts en train d'employer une langue morte. Quelque chose a commencé à vivre *dans le langage* de façon concrète et pratique, et je dis : c'est ça la philosophie du xxᵉ siècle.

M. C. : D'accord, mais avouez que ça n'a pas duré longtemps! Pourquoi ça n'a pas duré longtemps? Vous me direz, une fois de plus, parce que ça a été occulté, enfoui! Mais vivons-nous, vivrons-nous pour ce qui surgira ou resurgira huit jours dans nos vies? A moins que ce ne soit instants d'éternité, cela vaut-il bien le coup?....

PH. S. : Ça a été violemment combattu. Et peut-être que ça n'a pas à « durer ».

M. C. : Bon; alors?

PH. S. : Un spectre hante l'Europe, le spectre d'un nouvel Hamlet, si vous voulez, et c'est pour cela que je me permets de poser la question aujourd'hui : est-ce que nous allons aller, maintenant, de plus en plus dans le sens de cette créativité concrète qui a été celle de 1968? Est-ce que nous allons aller dans le sens d'une renaissance?

M. C. : Mais est-ce que vous dites renaissance avec un R majuscule?

PH. S. : Oui, si vous voulez, quelque chose de cet ordre. De deux choses l'une : ou bien nous sommes dans une époque qui ne sait pas, sauf par explosion, comment parler et vivre une renaissance, qui sera peut-être aussi fabuleuse (ça, c'est mon espérance) que la Renaissance avec un grand R; ou bien nous allons vivre à nouveau une régression. Je pense à Shakespeare : Renaissance, pour moi, veut dire Shakespeare. Est-ce que nous allons assister à une créativité qui ne sera pas seulement celle du génie, mais une créativité tout autre, dans une communauté et dans un espace interne tout autre? Sommes-nous à la veille de cet accouchement, par convulsions? Ou bien allons-nous, au contraire, revenir ou rester dans une sorte de Moyen Age qui sera le retour des vieux fantômes religieux?

J. P. : C'est-à-dire que, pour vous, Clavel représente les vieux fantômes religieux?

PH. S. : Mais non, voyons, ce n'est pas si simple.

M. C. : Vous y tendez! Mais, justement, je voulais vous accrocher un peu, un petit peu, pas méchamment, sur la Renaissance. Vous attendez une nouvelle Renaissance. Or, je vous opposerai...

PH. S. : Je dis qu'elle est là, et que tout le monde est contre.

M. C. : Je vous opposerai ceci : d'abord, Sollers, est-ce que vous en êtes encore au « Moyen Age obscurantiste », aux « ténèbres médiévales »? Ne conviendrez-vous pas, contre les imbéciles, que ce fut une époque étonnante par la vivacité, la franchise, oui, la spontanéité, pour ne pas dire la liberté — mot synonyme — de la sensibilité? Et, politiquement, ne commence-t-on pas à reconnaître que le lien féodal, si personnalisé, fut une des institutions les plus « progressistes » de toute l'Histoire humaine? Préférez-vous le capital et le salariat? Le mercantilisme?... Et cet admirable statut des fous! Et Innocent III accordant indulgence plénière — remise de toutes les peines d'enfer et de purgatoire — à tous les chrétiens qui épouseraient des putains! Mais oui! Un jour où le grand philosophe gauchiste belge, Vertraetten, l'ami de Sartre, me demandait : « *Bon, en dernière analyse, où allons-nous?* », je lui répondis, à tout hasard : « *Vers un Moyen Age sans serfs.* » Il trouva ça très bien! Peut-être que ce n'était pas si mal! En tout cas, toujours comme disent les imbéciles, y'a problème, y'a problème! Que faites-vous de la première ligne de *Vers un nouveau Moyen Age* de Berdiaeff, alors uni aux bolcheviks et haranguant les soviets dans les usines : « *Nous sommes en train de vivre les derniers jours de la Renaissance.* » Va-t-elle re-naître? Ou verra-t-on plutôt le retour de ce qu'elle a détruit, et qui était plus grand qu'elle, et à qui elle doit peut-être sa première grandeur? Léonard de Vinci était, *aussi,* gothique... Ah! comme elle a vite abouti au *petit homme,* ainsi que dit Foucault, au petit homme rationaliste des Lumières, si bourgeois — voir Voltaire et *le Neveu de Rameau* lui-même!

PH. S. : Les Lumières, c'est plus tard, n'est-ce pas.

M. C. : Enfin, s'il est vrai que l'homme est un clair-obscur — tiens, Léonard! — un mélange de lumière et d'ombre, réduire l'homme à une pure lumière, comme l'a fait l'Encyclopédie au XVIIIe siècle, c'est de l'obscurantisme! C'est ça, l'obscurantisme!

PH. S. : Je ne vous ai pas cité l'Encyclopédie du XVIIIe siècle, je vous ai cité Shakespeare, et personne plus grandement que Shakespeare ne représente la présentation du clair et de l'obscur, et la contradiction...

M. C. : Pour moi, Shakespeare, le plus grand Shakespeare, c'est justement la contestation grandiose, nihiliste et prophétique de tout l'espoir de la Renaissance. Voir Hamlet, le roi Lear! Quatre siècles d'avance! Sauf qu'il est un Titan et que nous n'en sommes pas, et que nous n'en avons pas!

PH. S. : Pour moi, la Renaissance, c'est une époque

non pas de réduction à l'humanisme ou au progrès (cela est rationalisé plus tard)...

M. C. : Ah! nous ne parlons pas de la même chose, alors. Précisez!

PH. S. : Alors, je précise : ce n'est pas du tout sur une position rationaliste classique que je me place. J'ai parlé de créativité et d'invention pour un monde qui craque de partout et à qui il faut son langage. Donc, ou bien nous sommes dans cette ouverture que vous signaliez tout à l'heure...

M. C. : J'en suis persuadé.

PH. S. : ... qui a fracturé le vieil homme, pour employer un langage qui vous est connu, ou le vieux monde. Est-ce que nous allons donc réussir à être de notre temps?

M. C. : Holà, holà! Être de notre temps, qu'est-ce que ça veut dire? Être de son temps, vous connaissez la formule : « *Il ne faut jamais être de son temps, on y reste.* » C'est un peu léger encore, cela, c'est un peu quelque chose de tout fait que vous acceptez encore une fois sans critique. Alors, je vous questionne, que veut dire : être de son temps? C'est de l'hégélianisme très vulgarisé, ça, voyons!

PH. S. : Je pars simplement du malaise, du blocage, du bétonnage dont nous sommes l'objet dans la société actuelle. Je ne dirais pas ce que je dis si, en un sens, je n'étouffais pas, si, comme écrivain, je ne me sentais pas enterré vivant d'une certaine manière. On nous force à vivre, à penser, à parler comme au XIXe siècle...

M. C. : Tiens, tiens!... Marx n'en est pas?

PH. S. : On s'y acharne, mais ne comptez pas non plus sur moi pour — dans une société qui m'oblige de façon contraignante, tout le temps, à vivre, à penser et à parler comme au XIXe siècle (ce que je ne fais pas, d'ailleurs ; ce qui me permet de discuter avec vous) —, ne comptez pas non plus sur moi pour, refusant cet avatar, cette sclérose continuée sous la forme de l'agonie, du gâtisme, du coma dans lequel on essaie de nous faire vivre, pour tout oublier et simplement sauter comme ça jusqu'aux commencements de l'ère chrétienne.

M. C. : Mais qui vous parle de « sauter jus- qu'aux »? Je vous demande de sauter dans l'in- connu! Je vous demande, au besoin, de sauter dans l'innommé! Je vous demande pardon si je l'ai trop nommé, je vous demande pardon si j'ai parlé un peu trop en tant qu'homme révélé par une conver- sion chrétienne. Mais je vous demande de sauter dans un inconnu qui vient tout fracturer, et au regard duquel l'héritage de vos génies philoso- phiques que vous prétendez reprendre apparaît, apparaît et apparaîtra comme un fatras. Je vous demande de vous renouveler vous-même, au nom même de cette créativité qui sourd de toutes parts, qu'on rejette en vain dans les marges et qui, selon moi, va resurgir probablement par vous, par vous plus que par moi puisque vous êtes plus jeune que moi. Alors, soyez ce que vous êtes plutôt que d'être de votre temps! Vous serez ainsi l'homme de demain sans vous être jamais préoccupé de savoir si vous êtes l'homme d'aujourd'hui et l'homme de votre temps. Excusez cette suggestion violente...

PH. S. : Non : demain, pourquoi pas, je suis tout à fait d'accord, mais, puisque le sujet de la discussion, c'est : « renouveau de la spiritualité? », avec un point d'interrogation, restons sur ce problème.

M. C. : Prenons ce sujet à bras-le-corps et mettons les pieds dans le plat... Est-ce qu'on assiste effectivement depuis Mai 68 à un « renouveau de spiritualité »? J'aime pas ça du tout parce que ça fait un peu trop vieux con... Passons... Je préfère retour de l'Esprit. Alors, je vous repose la question : ce renouveau spirituel ou ce retour de l'Esprit, est-ce bien cela qui est apparu, oui ou non?

PH. S. : Je dis oui.

M. C. : Bien, je vous le rappellerai.

PH. S. : Je dis oui, puisque je me suis mis d'accord avec vous dans une émission précédente pour affirmer que cette fonction du sujet comme vérité et liberté est reposée, alors qu'on avait essayé de l'endormir. Maintenant, la discussion porte sur la différence d'interprétation de ce oui. Quand je dis renaissance, créativité, être de son temps ou de demain, de demain avant tout, bien sûr, ça veut dire quoi? Ça veut dire qu'on va prendre, essayer de prendre à bras-le-corps, d'une façon un peu aventurée...

M. C. : Je ne vous demande que ça!

PH. S. : ... tout ce qui a émergé depuis une dizaine d'années, dans cette crise, comme nouveau, nouvelles formes de vie, nouvelles formes de pensée, nouvelles habitudes mentales, nouveaux corps, et qu'on va essayer, contre tous les appareils qui sont aujourd'hui en complicité — que ce soit le pouvoir ou l'union de la gauche...

M. C. : Exact.

PH. S. : ... qui sont en complicité parfaite pour essayer de faire taire cela tout en le tolérant et en le marginalisant, qu'on va essayer, donc, de le faire crier, parler, agir.

M. C. : Est-ce que nous allons pouvoir l'accoucher? Est-ce que nous allons le délivrer?

PH. S. : Et j'ajoute que, pour cela, nous n'avons pas besoin... de Dieu.

M. C. : Ah voilà! En tout cas, sûrement pas besoin de l'Église, à moins de la briser et de la refaire à neuf : je vous vois d'ailleurs très bien, Sollers, demain ou après-demain, en grand Réformateur de l'Église. Mais soyons sérieux et parlons franc. Si vous n'admettez pas que c'est Dieu qui revient — Dieu, bien sûr, intime à l'homme et passant infiniment l'homme pour le faire ou le refaire Homme —, si vous n'admettez pas ce Dieu tel que je vous le signale, et qui est l'Être, alors, vous allez au Néant : pas de milieu. Il y a deux choses qui ont pu expliquer Mai et il semble que les héritiers de Mai sont au bord d'un schisme. Il y a ceux pour qui Mai a marqué la rupture par la transcendance — de quelque nom qu'on l'appelle... Il ne s'agit pas de bondir, de rebondir, comme vous disiez, aux premiers siècles de l'ère chrétienne; ce sont peut-être eux qui reviennent, et pour subvertir le nouvel Empire romain, ce qui ne serait pas si mal, entre nous. Mais peu m'importe de les reconnaître, peu m'importent, encore une fois, les modèles. Mais enfin, donc, besoin ou non de Dieu, est-ce Lui qui revient en quelque sorte recréer, délivrer, libérer l'homme, dans un rapport dont j'ai montré, je crois, dans mes bouquins, toute l'intériorité — et non la dépendance, vous m'accorderez ça contre les imbéciles chrétiens ou athées? Ou bien est-ce au contraire une libération des corps dont il me semble que vous êtes plutôt partisan, avec quelques héritiers de Mai comme Deleuze, comme Lyotard, etc., qui alors pousserait Mai dans le sens d'une libération absolue du désir, dans le sens de cette révolution sexuelle dont vous ne semblez pas

vouloir tout à fait, puisque, hier encore, vous
souscriviez, au moins de la tête, quand je citais le
mot de Lacan sur la révolution sexuelle piège à
cons. Et alors, moi qui suis placé évidemment du
premier point de vue — et je n'y peux rien, c'est
ma conversion, vous comprenez —, j'ai tendance à
dire que l'héritage de Mai se partage entre — c'est
partial, ce que je vais dire —, se partage entre ceux
qui interprètent Mai du côté d'un retour de l'Être,
qu'il s'appelle Dieu ou non, et ceux qui l'interprètent du côté d'un laisser-aller ou d'un abandon
absolu au néant, c'est-à-dire à la foire du sexe et
autres conneries *qui ramèneront bientôt et implacablement toutes les autres dominations de ce
monde,* soit à leur bout, soit par contrecoup! Et
maintenant, généralisant encore, je prétends que
c'est du côté de Dieu, du côté de l'Esprit, du côté
de l'âme, du côté de l'Ange, du côté de la
transcendance qu'est le seul fondement non seulement historique, mais ontologique, par-delà l'Histoire et permettant l'Histoire, le seul fondement,
dis-je, de la révolte, sans quoi vos révoltes seront
toujours baisées d'avance! Sans quoi il y aura des
Ordres et des Ordres, avec quelques entractes rares
et négatifs et stériles de désordres, fussent-ils de
géniales chienlits! Dix jours de fête par siècle!
Merde pour les Saturnales!

PH. S. : Il me semble que vous pourriez admettre

qu'on peut ne pas se laisser enfermer dans une alternative.

M. C. : Il n'y a que ça.

PH. S. : Si vous voulez bien, laissez parler quelqu'un qui ne se sent pas obligé de choisir entre les deux positions que vous avez définies.

M. C. : Alors, dites la vôtre.

PH. S. : Entre le fait de tomber dans le panneau de la libération pour la libération qui, en effet, donnerait une sorte de pensée molle...

M. C. : ... ou de nouvelles dominations de type sadique, finalement.

PH. S. : Là, il faudrait avoir tout un débat sur Sade.

M. C. : Non, je veux dire simplement la jouissance! On jouit toujours de quelqu'un, vous le savez très bien!... Ou alors on jouit de l'Être et cela seul peut se faire ensemble... L'amour physique vrai, qui est si rare, où les corps ne sont pas interchangeables, tient peut-être de là, vient peut-être de là...

PH. S. : Alors, entre cette voie-là qui, en effet, s'ouvre, ou son opposé qui serait ce que vous appelez le retour de l'Être, mais où je déchiffre des symptômes assez inquiétants, comme l'angélisme...

M. C. : Ce n'est pas le mien. Je suis un chrétien de l'Incarnation. Ne me parlez pas de mon angélisme, de grâce!

J. P. : Il reste une minute, Maurice Clavel, pour que Philippe Sollers exprime sa pensée.

PH. S. : Écoutez, je ne parle pas ici de l'humanisme, mais je pense que nous ne sommes pas faits pour nous enfermer dans le tombeau aliénant d'un corps pas plus que nous ne sommes faits pour nous aliéner dans le refus de ce corps. Il est aussi enfantin de survaloriser le cirque des pulsions que d'en nier la puissance...

M. C. : Si nous parlions des pulsions? Vous m'avez accordé des choses importantes là, je vous les rappellerai... Ne serait-ce que votre « cirque » : cercle et foire!

PH. S. : Je dis aussi quelque chose d'important qui devrait quand même vous gêner un peu, on en discutera, qu'aucune solution ne peut nous venir d'une revendication de pureté qui viserait — et c'est perdu d'avance — à croire surmonter le versant sexuel définitif de la vie...

M. C. : Définitif! Fichtre! Nous sommes mortels, mon cher, et vieillissants, même! Ce n'est pas « définitif », la chair en ses désirs et ses actes.

PH. S. : Mais le sexuel, c'est aussi la mort. Et il ne s'agit pas de l'escamoter.

M. C. : A moins que nous n'ayons un corps spirituel! Et de quoi parler, pourquoi parler, si nous mourons? Et si nous mourons de parler, s'il n'y a pas de chance de *parole de Vie,* taisons-nous!

PH. S. : On peut vouloir faire l'ange pour nier la

mort, comme on peut vouloir faire la bête pour l'oublier. Je suis pour le *réel* tragique de cette affaire qui fait que nous sommes là et qu'il y a, à partir de là, une créativité à inventer.

M. C. : Vous avez dit « tragique ». Si vous êtes tragique, vous me retrouverez vite...

J. P. : Nous reprendrons ça demain.

Quatrième entretien

Jeudi 22 juillet 1976

J. PAUGAM : Philippe Sollers, hier, en fin d'émission, Maurice Clavel vous plaçait devant une
alternative. Apparemment, vous ne vous sentiez
pas tellement concerné?

PH. SOLLERS : J'ai un peu l'impression d'être le tiers
exclu d'une discussion très actuelle, très bien
menée, très rondement menée, dans laquelle je ne
me sens pas obligé de choisir; voilà. C'est d'ailleurs
une lutte politique, en définitive, une lutte politique
qui vise à avoir une sorte d'hégémonie sur l'ex-
trême gauche et, justement, sur tout ce qui est sorti
de Mai 68. Clavel le rappelait très bien. Il y a, d'un
côté, les tenants du retour de l'Être ou de quelque
chose qui va vers la transcendance...

M. CLAVEL : Qui en vient, qui en vient...

PH. S. : ... qui en vient et qui y remonte, et, d'autre
part, il y a le courant en effet libératoire, libertaire,
de ceux qui mettent en avant le thème du désir ou
de la libération sexuelle. Il semblerait, à les
entendre les uns et les autres, qu'automatiquement,

si l'on se réclame d'une conception révolutionnaire aujourd'hui, on soit forcé de choisir et d'aller, au fond, soit chez les uns soit chez les autres. Et, donc, si on n'est d'accord ni avec les uns ni avec les autres, un peu avec les uns, mais un peu aussi avec les autres, on se trouve dans une situation qui est celle de l'exclu. C'est pour cela que j'ai un certain mal à préciser ma position, du moins à la faire entendre. Ce qui, d'ailleurs, m'amène à dire qu'il ne faudrait pas, quand même, que l'affaire de 1968 devienne querelle d'héritage, car, à ce moment-là, ce serait dérisoire.

M. C. : Je n'en veux à aucun prix, et c'est pour ça que je vous invite mélodramatiquement à retirer ce que vous avez dit sur ma ou notre tentative d'hégémonie, vous rappelant ce que je disais au début de cette émission, à savoir que je suis quelqu'un à qui tout arrive et qui ne fait rien exprès, et que je ne demande qu'à passer la main à de plus jeunes, que je ne crois pas plus hégémoniques que moi...

PH. S. : Oh! qui le sont certainement beaucoup plus que vous...

M. C. : Je ne crois pas.

PH. S. : Et c'est d'ailleurs ce que je crains. Je crains qu'un esprit fondamentalement libre comme Clavel, qui a tout à fait raison de dire — et là je suis sérieux — que ce qui lui arrive lui *arrive,* et qu'il fait ce qu'il fait sans calcul et d'une façon inspirée, je redoute que quelque chose d'autre, qui, peut-être, lui est encore invisible, sorte de ce qu'il fait pour être beaucoup plus intolérant qu'il ne l'est lui-même. Alors, je reviens à ce que je voulais dire sur l' « angélisme » qui caractérise un de ces courants ; parce qu'il me semble que c'est directement inscrit dans le fonctionnement du discours chrétien qui se tient de nouveau aujourd'hui et qui nous dit que le maoïsme, par exemple, serait une réinvention du christianisme.

M. C. : Mettons les pieds dans le plat : vous parlez de Lardreau et Jambet, les auteurs de *l'Ange,* qui est un livre très important et dont j'ai pu écrire qu'il réinventait le christianisme, mais en précisant bien qu'ils réinventaient *ce,* en soulignant *ce,* par quoi le christianisme est chrétien. Ils sont athées tous les deux. Ils ne se réclament d'aucune révélation particulière. D'autre part, attention, vous opposez — et ça me semble un dilemme boiteux —, d'un côté, le mouvement *angélique* et, de l'autre côté, le mouvement *libératoire.* Je tiens à rappeler là, pour être fidèle à la pensée de Lardreau et Jambet, que, s'ils en viennent à l'angélisme, c'est-à-dire à l'Ange comme point d'accrochage, d'ancrage, hors du monde, c'est comme point d'origine, et seul point d'origine d'une révolution possible, c'est-à-dire d'une *libéra-*

tion véritable. Par conséquent, les deux attitudes opposées se proclament libératoires. Si *l'Ange* veut casser dans l'absolu, par l'absolu, la chaîne ininterrompue des dominations et maîtrises de ce monde — que le sexe conforte, loin de leur échapper —, ce n'est pas en vertu de je ne sais quelle vieille « soif de pureté », mais pour fonder enfin ontologiquement, car il n'y faut pas moins que l'ontologie, la révolte, la révolte la plus réelle, la seule réelle, celle qui ne produit pas implacablement son contraire!

PH. S. : N'empêche que...

M. C. : N'empêche que, allez-y...

PH. S. : N'empêche qu'on peut ne pas se sentir défini...

M. C. : Mais définissez-vous!

PH. S. : ... par une revendication d'angélisme pas plus que par une revendication de bestialisme. Si on parle de la mort de l'humanisme ou de sa réinvention, la question est bien de savoir ce qu'on va faire avec quelque chose, un élément, qui n'est ni un ange ni une bête, mais, encore une fois, un animal parlant, un animal soumis à la fois au sexe et au langage, et divisé fondamentalement, et définitivement, par cette affaire entre le sexe et le langage. Car, si l'homme tel que nous pouvons le voir aujourd'hui, après ces deux grands rouleaux compresseurs que sont devenus le marxisme et le freudisme, mais en retrouvant l'inspiration profonde de ce qu'il y avait de critique dans la pensée de Marx individu, et dans la pensée de Freud individu, vivant un drame historique précis...

M. C. : Selon vous...

PH. S. : Selon moi... Si nous essayons de savoir ce qu'il en est de cet animal parlant, de cet animal sexué, jeté dans l'Histoire, et essayant de construire quelque chose qui n'a jamais eu lieu, alors, ce n'est pas le moment d'essayer de bloquer la situation en lui assignant, à cet animal, dont nous savons qu'il est divisé dans son sexe et dans son langage...

M. C. : Vous avez dit même « soumis au sexe et au langage », est-ce que vous maintenez « soumis »?

PH. S. : Je maintiens « soumis », malheureusement, car c'est bien de cela qu'il s'agit, de l'insoumettre...

M. C. : Voilà, voilà, c'est de cela qu'il s'agit.

PH. S. : Mais pour l'insoumettre, il ne faut pas proposer de bloquer l'alternative dans un choix entre des positions qui se retireraient du drame. Je suis pour que toute la dramaturgie de l'homme moderne puisse être dite et jouée, et ça ne se jouera qu'à travers des contradictions.

M. C. : Alors, pourquoi dites-vous qu'on bloque, alors que vous parlez de contradictions où ça se joue : il y aurait donc un jeu? La bonne vieille Dialectique? Pourquoi elle, plutôt que le Dilemme, qui pourrait bien être entre elle et l'insoumission? Oui, si la Dialectique était soumissionnaire et qu'il faille la rompre? La Dialectique, c'est l'Ordre!

PH. S. : J'essaie de dire que la question n'est pas de proposer une pensée qui rêve d'en sortir. Je dis que ce serait même dommageable à une révolution telle que, je pense, nous la souhaitons : ce serait négatif de prendre uniquement comme axe quelque chose qui voudrait empêcher les contradictions de jouer. Nous ne serons pas dans une libération absolue, et nous ne serons pas dans un angélisme absolu. Nous serons encore et toujours des gens travaillés par les contradictions entre sexualité et langage.

M. C. : Mais ne voyez-vous pas que ces gens travaillés par ces contradictions, ce sont les éternels sujets-objets de l'Histoire? Est-ce que vous ne croyez pas qu'avec mon appel ou ma prise d'acte de la transcendance j'indique la seule révolte possible? Je ne vois pas *d'où peut venir,* chez vous, la révolte. Je cherche. Je vous demande très honnêtement.

PH. S. : On continue à nous dire que tout est naturel, que tout évolue et progresse dans le meilleur des mondes, alors que rien de ce qui est réel n'arrive vraiment à se parler, ni par rapport à la sexualité ni par rapport au langage.

M. C. : Mais, alors, n'est-ce pas que, pour « se parler », au sens fort et pur où vous l'entendez, il faut passer *par ailleurs?* Par exemple, lorsque j'écris en chrétien, dans *Dieu est Dieu,* qu'on ne peut s'aimer vraiment que dans le Christ, qu'en se *branchant* sur l'amour christique et peut-être trinitaire, je désigne par là un circuit de branchement apparemment lointain, mais, au fond, originel, et qui, en fait, quoique en secret, alimente ou induit tous les autres possibles, lesquels, lorsqu'ils se coupent de lui, s'épuisent vite... Cela dit, je ne vous impose pas un choix, ni un dilemme tyrannique. On peut rester conciliant.

PH. S. : Si c'était le même bloc divisé en deux aveuglements parfaitement symétriques?

M. C. : Je ne vous dis pas pour l'instant le contraire. Mais prouvez donc que ce sont tous deux des aveuglements!

PH. S. : Je fais une hypothèse...

M. C. : Pour ma part, remarquez, je n'ai jamais suivi de courant de pensée; je ne suis pas un idéologue puisque, justement, je vois dans ma « transcendance » la source de la révolte totale et de la rupture possible avec toutes les idéologies dont nous savons bien, maintenant, par les fascismes et les stalinismes qu'aucune ne libère l'homme, et que toutes l'enchaînent selon un jeu monotone de tyrannies successives, dont chacune croit être libérée de l'autre, alors qu'elle ne fait que changer le mode ou le modèle de l'asservissement; et cela, vous en convenez, Sollers?

PH. S. : Je conviens, en effet, que tout peut

toujours, dans cette soumission initiale de l'animal parlant au sexe et au langage, servir des puissances qui savent manipuler cette division.

M. C. : Attention! Vous dites « des hommes soumis au sexe et au langage », vous dites « servir des puissances qui... ». Mais, si ces puissances-là, c'étaient justement le sexe et le langage? Oui, sans aller chercher des comploteurs plus loin? Si la source de la tyrannie sur autrui se trouvait en vous? S'il n'y avait pas de libération naturelle, et encore moins naturaliste?

PH. S. : Les puissances dont vous parlez ne sont pas le sexe ou le langage *en tant que tels,* mais l'impasse de la croyance énigmatique que l'on met en eux. Il y a, avant tout, une puissance d'illusion là-dedans, c'est là le problème.

M. C. : Cherchons donc le langage et le sexe *en tant que tels,* et pourquoi pas *tels quels,* ô Sollers! Mais quel terrible travail d'essence! Est-il critiquement possible?... A moins de dire que vous les avez entrevus en Mai. Je veux bien. Mais comment préparer leur retour, sans discours, sans pensée, sans ardente veille, sans prière? Que pouvez-vous sur les corps?

PH. S. : Les alléger.

M. C. : Des happenings?

PH. S. : Et que pouvez-vous sur « les âmes »?

M. C. : Peut-être les aider un peu à se reconnaître

comme la cause, et à émerger comme la chance d'issue, de tous ces troubles...

Mais pourrais-je introduire un élément nouveau, faire appel et rendre hommage à un penseur de la révolution que nous n'avons pas encore nommé et qui est capital pour toute la pensée contemporaine, Michel Foucault? Je trouve que l'œuvre de Foucault, sans arbitrer entre nous, peut éclairer ce débat.

Je ne vais pas l'attirer de mon côté. J'ai pu dire — j'ai pu dire et je le maintiens ici parce que je crois que c'est important — que, lorsque, dans *les Mots et les Choses,* Foucault prend acte de l'acquis du structuralisme, de la dissolution du sujet, du débusquage du *je* et du *moi,* il nous conduit évidemment à cette position où moi, chrétien, je suis bien forcé de dire : Dieu seul me garantit la possibilité d'être *je :* je ne suis que s'il me dit *tu* et par là me crée ou me recrée comme tel. Vous êtes d'accord sur ce dilemme.

Mais allons même plus loin dans l'œuvre de Foucault, parlons de son dernier livre dont on a trop peu parlé, dans le grand public du moins, *Surveiller et Punir.* Quel en est le thème? Foucault débusque partout, y compris dans la libéralisation des prisons, dans l'humanisme de ces deux derniers siècles, la tyrannie, non la tyrannie carcérale visible, mais aussi invisible, c'est-à-dire celle-là même du discours institutionnel, celle du langage. Bref, il découvre, si vous voulez, cette nouveauté : alors que, chez Marx, la lutte est en quelque sorte simple comme la bataille d'Austerlitz — un peu rustique, selon une expression foucaldienne : il y a une classe au-dessus, il y a une classe au-dessous, la classe au-dessous renverse la classe qui est au-dessus et, du coup, c'est la libération et quasiment le paradis sur terre —, Foucault démontre que le pouvoir de l'homme sur l'homme est partout, que ce n'est pas la bataille d'Austerlitz, mais une mêlée confuse et incessante, et son livre s'arrête court pour « *écouter le grondement indistinct de la bataille* ». Et c'est beaucoup mieux vu que chez Marx, mais c'est beaucoup plus désespérant, car, si le pouvoir est partout, comment diable s'en libérer ? Par quelle stratégie ? Par quelle force historique ? Par quelle idée, si l'idéologie de la liberté à la fois le déguise et le généralise, ce pouvoir ?

Mais il y a une question philosophique très grave, qui pourrait nous faire revenir à notre débat après l'avoir enrichi, et qui serait la suivante : dans ce pouvoir de l'homme sur l'homme, qui est universel, diffus, omniprésent — vif-argent de mort, si j'ose dire —, qui court, qui court comme le furet de la chanson, qui ou quoi de l'homme est esclave ou victime ? Foucault, lui, a choisi. Dans *Surveiller et Punir,* il dit : les corps. Effectivement, il ne peut pas dire : les âmes, et ne peut même pas dire : les hommes, puisque c'est l'humanisme même qui est l'auteur de cette oppression. Donc, Foucault est parfaitement cohérent en disant : les corps. Donc, vous voyez, j'apporte de l'eau à votre moulin.

PH. S. : Tout à fait.

M. C. : Mais je suis bien forcé de dire à Foucault : il faudra bien parler ; s'il est vrai que ce sont les corps qui sont victimes, qui sont emprisonnés, qui sont surveillés, qui sont occultés, anéantis, mis en friche, taris dans leurs possibilités créatrices, etc., que sera — on est quand même forcé d'imaginer ce qu'elle sera — la libération de ces corps ? Faut-il concevoir une sexualité inouïe, et qui ne soit pas la mort ? Un génie créatif qui n'aurait aucune des douleurs du génie créateur ? Une folie générale qui, dans la disparition du monde qui la parque et la stigmatise, deviendrait la normalité ? Soit. On peut y rêver. C'est votre droit. Je le reconnais. Mais, outre le danger de nouveaux esclavages, votre rêve récuse Lacan et le plus profond de Freud, le Freud de *Malaise dans la civilisation.* Vers un « tel quel » rêvé ou secrètement présent dans vos viscères, c'est tout le « champ freudien » que vous retournez et subvertissez, sans science ! Soit, encore ! Je n'ai rien à vous dire, sinon ceci : foi contre foi, permettez-moi de préférer l'âme, non parce que c'est une notion ancienne, rassurante, éprouvée, mais parce qu'il m'est plus facile de comprendre que c'est l'âme qui est aujourd'hui captive et qui se débat dans nos secousses — Mai et sa suite n'ont pas été quand même édéniques —, et aussi parce qu'une âme prochainement libérée, avec ce qu'il faut d'ascèse, respecterait tous les corps, même égarés. Je ne suis pas aussi sûr que les corps libres se respecteraient les uns les autres : le Désir ne sera jamais un jeu d'enfant. Vous voyez, je ne vous réfute nullement. Je vous respecte et je m'inquiète... Est-ce que je vous inquiète?...

PH. S. : Cette histoire de corps, en effet, elle est à l'ordre du jour. Des corps nouveaux exigent de naître. Foucault a écrit quelque chose de très important, et je dirais même de fondamental pour ce qui nous occupe, c'est-à-dire une histoire de la folie. La première chose qu'il ait trouvé à écrire, c'est quelque chose qui a démonté la façon dont la folie avait été vécue par le siècle classique.

M. C. : Oui. Je précise pour le public : la façon dont le rationalisme classique et cartésien était finalement un instrument carcéral, un instrument d'assujettissement et d'exclusion de l'homme, au lieu d'être un instrument libérateur de cet homme par les Lumières.

PH. S. : Exactement.

M. C. : C'est déjà dans *l'Histoire de la folie* que

Foucault a détruit les Lumières. Oui, le grand destructeur des Lumières, c'est lui.

PH. S. : Mais, cher Clavel, quand Foucault écrivait son *Histoire de la folie,* nous faisions déjà, je faisais moi-même déjà un modeste travail qui allait exactement dans le même sens, car, lorsque nous parlons d'écrivains comme Lautréamont, Kafka ou Artaud, etc., nous sommes dans le même sens de recherche. A l'époque, nous avons travaillé avec Foucault. Donc, je reviens à ce que je voulais dire : une pensée qui soit à la hauteur de la folie, voilà ce qui, pour moi, fait renaissance. Et l'exemple que j'ai pris, Shakespeare, est évidemment le plus radical.

M. C. : D'accord! Tout à fait d'accord! Mais, justement, le Shakespeare des grandes œuvres de 1602-1604, qui culmine dans *le Roi Lear!* Mais pourquoi n'est-il pas allé au terme de sa folie et de sa vie à la fois? Pourquoi s'est-il assagi et détendu par la suite? Pourquoi a-t-il apparemment consenti à se guérir dans ses dernières œuvres? Pourquoi n'est-il pas allé jusqu'au bout? Invoquerez-vous quelque « répression » ou « régression »? Pourquoi s'est-il résigné?

PH. S. : *La Tempête,* ce n'est pas mal, quand même...

M. C. : Ce n'est pas à tort que l'on interprète *la Tempête* comme un « apaisement » de Shakespeare, dans une sorte de « souriante sagesse ». Je suis assez fou pour ne pas trop aimer cela.

PH. S. : Écoutez, tout le monde a le droit de finir sur une note d'apaisement, j'espère...

M. C. : Folie devenue viable ou folie normalisée? Qui saura? Avec Van Gogh et Artaud, en revanche, on sait. Je sais qu'un créateur témoin et martyr de l'Absolu n'a le droit de guérir que par l'Absolu. Nous nous libérerons en payant le prix de la liberté, et non au bout de notre nature, ancienne ou nouvelle... Mais vous, qui vous interdisez l'Absolu et dont la pensée est forcément plus jeune que la mienne, que dites-vous?

PH. S. : De nouvelles questions ont été posées sur la folie et l'interprétation de la folie, elles ont été posées sur la sexualité, sur les coulisses du pouvoir social, de ses modes de répression, etc. Elles ont été posées, elles ont éclaté, mettant en cause le pouvoir de la raison raisonnante et raisonnable, de la Raison comme forme du Pouvoir. Comme si les corps avaient leurs raisons que la Raison était là pour taire. Or, ces corps, ce ne sont pas seulement des corps d'hommes, mais aussi des corps de femmes, et ces corps n'ont pas, on s'en aperçoit de plus en plus, les mêmes intérêts, les mêmes investissements, et tout cela ne fait plus un « tout », justement, et se met à vivre et à dire autre chose. Ce qui fait que l'humanisme est aussi profondément ébranlé à sa racine, comme conception de l'unité, que la religion. Nous sentons partout cette mutation. Et il en va de même pour l'idée que nous nous faisons de l'enfant, où Freud est venu apporter une révolution considérable. Qu'est-ce que nous découvrons, peu à peu? Que des corps sont ensemble, et qu'ils sont différents, mais qu'ils n'ont jamais pu, semble-t-il, parler cette différence et construire quelque chose à partir de cette différence. C'est pourquoi je pense que nous allons vers un monde de singularités, un monde où la question de la singularité, voire même de l'exception, va apparaître *comme telle*.

L' « Ange », par exemple, est une façon d'éviter la différence, notamment entre homme et femme.

M. C. : Cet Ange vous hante! Mais les auteurs même de *l'Ange* ont dit que c'était une façon de parler. « *C'est ainsi,* écrivent-ils, *que nous apparut la figure énigmatique de l'Ange.* » Alors, ne les prenez pas à la lettre. En tout cas, pour ce qui nous occupe, l'Ange, ce serait l'Absolu en moi qui me permettrait d'être un individu singulier concret, même en amour, et non pas un numéro social ou un matricule idéologique. En serez-vous d'accord?

PH. S. : S'il s'agit simplement de ne pas être un matricule, d'accord.

M. C. : Singulier concret. L'Absolu est singulier concret. Redevenez hégélien, que diable, au moins pour cela! Quant à l'Ange, le vrai, Sollers, le littéral, il est au moins assez viscéral pour faire souvent mal aux viscères, croyez-moi!...

PH. S. : Mais est-ce que vous admettrez avec moi que, par rapport à cette question de la division du sexe et du langage, les hommes et les femmes n'ont pas la même position et commencent seulement aujourd'hui à l'aborder, et nous verrons les conséquences que ça aura? Là aussi, je donne rendez-vous, et il me semble qu'on peut à peine aujourd'hui en mesurer la profondeur.

M. C. : Il y aura *des* libérations, je vous l'accorde. Mais soyons au moins philosophes pour chercher ensemble — car nous nous sommes écartés un peu du fond du problème : qu'est-ce qu'il y a, qu'est-ce qu'il y aura de commun à ces libérations, par quoi on pourra parler de libération humaine? Et cela dit, origine métaphysique ou non, remettons la question sur la terre, c'est moi qui vous invite : est-ce qu'on pourra parler — en premier, ou plutôt, selon moi, en second —, d'une libération politique et sociale? D'accord sur ces questions?

PH. S. : Absolument.

J. P. : Vous parlez de points communs, Philippe Sollers. Lorsqu'on dit que les maoïstes d'aujourd'hui retrouvent le comportement des premiers chrétiens, vous êtes d'accord ou vous n'êtes pas d'accord?

PH. S. : C'est très simple ce qui est arrivé aux maoïstes. Soit ils se sont enfermés dans un stalinisme de pure tradition, ce qui les a amenés à une groupusculisation de plus en plus réduite et sans aucune prise sur la société, qui fait que, qu'ils le veuillent ou non, ils courent quand même derrière l'Union de la gauche...

M. C. : Il ne s'agit pas de ceux de *la Cause du peuple*.

PH. S. : Ceux-là, en effet, ont approfondi la crise...

M. C. : ... qui pourrait être une crise spirituelle au sens large du mot, un combat spirituel au sens profond et non confessionnel du mot.

PH. S. : Eh bien, moi, je dis que ce ne sera qu'en évaluant très précisément toutes les nouvelles formes corporelles de la réalité, telle que nous la vivons concrètement, que les maoïstes redeviendront éventuellement maoïstes — « maoïstes », peu importe, révolutionnaires —, c'est-à-dire en prise directe avec le réel.

M. C. : Mais il vous faut répondre aussi à Paugam, sur les premiers chrétiens... Moi, ma réponse sera très simple : les maos ont au moins un point commun avec les premiers chrétiens : c'est que les premiers chrétiens sont allés à ce monde non pas, comme y vont les chrétiens d'aujourd'hui, pour s'y fondre, mais pour, par leur annonce et leur vie évangélique, le fendre, le casser, le subvertir, et c'est ainsi qu'ils ont eu l'Empire. Et il y a des chances que ces « premiers chrétiens » d'une nouvelle espèce puissent contribuer à une subversion radicale du monde où nous sommes, qui agonise.

PH. S. : A condition de le réveiller à lui-même.

M. C. : Et n'oublions pas — je ne suis pas conciliateur —, n'oublions pas que ces premiers chrétiens ne discutaient pas du sexe des anges, mais disaient, dans les inscriptions funéraires des Catacombes : « *Tu vivras, tu vivras.* » Ces premiers chrétiens sont allés renverser le monde antique au nom d'un dogme qui fit que l'Acropole d'Athènes commença par se foutre de la gueule de saint Paul : le dogme de la Résurrection de la chair! Il y a là, me semble-t-il, Sollers, si ça peut nous réconcilier, une certaine « corporalité », d'autant que cette Résurrection, selon moi, commence dès ici-bas!... Allez, vos corps libérés, selon vous et même selon Foucault, seront bien à peu près mes corps ressuscités dès ici-bas selon Paul!...

PH. S. : C'était en effet une façon d'être révolutionnaire à l'époque. Mais, aujourd'hui, je ne pense pas qu'on puisse recréer un dogme, de quelque nature qu'il soit. Qu'est-ce que manifeste une religion? Qu'est-ce qu'elle révèle?

M. C. : Dogme n'a jamais voulu dire que croyance, article de foi; dogme n'a jamais été « dogmatique ». Un dogme est un Mystère fondamental à vivre, ou non...

PH. S. : Il ne s'agit plus aujourd'hui de se donner article de foi ou dogme, encore moins de les créer, mais de se donner la révélation, la révélation de tout ce qui attend d'être dit avec exactitude...

M. C. : D'accord, bravo. Mais la Révélation avec un R majuscule, pour moi, c'est cela, c'est cela même. Sauf qu'on ne *se la donne* pas plus, cette Révélation, en religion qu'en sexualité : on la reçoit en y concourant ou consentant! Pas plus qu'on ne crée un dogme, voyons! Voilà pourquoi il faudra parler demain de ce que c'est qu'une religion et, là, je suis votre homme.

J. P. : Donc, vous acceptez, Philippe Sollers, le rapprochement entre maoïstes et premiers chrétiens? C'est nouveau chez vous, ça!

PH. S. : Je n'ai pas dit que j'acceptais le rapprochement, c'est Clavel qui le fait.

M. C. : Non, non, c'est Paugam, dans sa question.

PH. S. : Je pense que nous n'avons pas intérêt à établir ce genre de parallélisme. Celui-là nous ramène en arrière, risque de nous tirer en arrière, alors qu'il faudrait avancer dans tout ce qui est apparu de nouveau depuis une dizaine d'années.

M. C. : Justement, un dernier mot : sur ce qui *va apparaître*. Nous avons introduit, dans ce quatrième entretien, Michel Foucault, que nous admirons tous les deux. Vous savez qu'à mes yeux c'est le plus grand penseur occidental depuis Kant, celui

« après lequel on ne peut plus penser comme
avant », et dans le même sens critique et libérateur. Or, si je suis bien renseigné sur son prochain
livre, consacré à la sexualité en Occident, une fois
de plus il change tout! Il montre — tenez-vous
bien — que depuis trois cents ans il y a eu, certes,
des répressions sexuelles, mais que, dans l'ensemble,
dans le dynamisme constitutif de notre culture, *la
sexualité n'a pas été réprimée!* Au contraire : elle a
été « *incitée* »! Pour lui — contrairement à vous,
Sollers, tout à l'heure encore, sur l'enfant — Freud
apporte beaucoup, mais ne renverse rien : il prend,
presque naturellement, une suite. Bref, la sexualité
aurait déjà tout donné. Rien de neuf ni de libératoire à en attendre, mais, loin de là, une perpétua-
tion de l' « assujettissement ».

J. P. : Fichtre!

M. C. : Il faudra lire, relire... Mais ce que la
démarche de Foucault a d'implacable, c'est son
honnêteté extraordinaire, sa rigueur envers lui-
même, lui le premier! Pour lui, le prolongement
naturel de son *Histoire de la folie,* c'était, après
la répression psychiatrique démasquée, la répression sexuelle à dénoncer... Or, il a travaillé sur
pièces historiques, très patiemment... et il ne l'a
pas trouvée, cette « répression sexuelle », du moins
comme principe ou grille unificatrice. Ça ne mar-
chait pas, « ça ne collait pas »! Alors, il lui a

fallu trouver autre chose et il a trouvé autre chose,
presque à l'opposé de son hypothèse initiale : c'est
grandiose!

PH. S. : Mais je pense en effet que le pouvoir
veut du sexuel et déclare « fous » ceux qui s'en
détachent...

M. C. : Très important, Sollers! Encore un pas
gagné! Une grande étape!

Cinquième entretien

Vendredi 23 juillet 1976

J. PAUGAM : Dernier face-à-face de cette série. Depuis le départ, nous avons un petit peu dérivé quant aux thèmes. En gros, nous avons abordé les thèmes suivants : Mai 68, la crise du marxisme et de toutes les philosophies, le renouveau de la spiritualité, l'angélisme. Aujourd'hui : la religion chrétienne est-elle la vraie religion?

C'est une définition presque pascalienne, Maurice Clavel?

M. CLAVEL : Oui, mais je ne veux pas entrer tout de suite dans une apologétique. Et peut-être vais-je un peu rebrasser le passé, c'est-à-dire les émissions précédentes, en rendant une sorte d'hommage à mon « adversaire », lui disant qu'il a en lui une grandeur que j'ai cru avoir récemment et que je n'ai plus : c'est qu'il est seul. J'ai été un homme seul, il se trouve que je ne le suis plus, tandis que Sollers, par exemple, a refusé avec courage et rigueur intellectuelle d'entrer dans ce dilemme et ce schisme des héritiers de Mai, partagés dans leur interprétation entre retour de l'Être et promotion du sexe. Mais, justement, il pourrait peut-être s'expliquer mieux là-dessus en introduction, et je vais peut-être l'aider par une question. A-t-il dit « libérer le sexe et la parole » ? A-t-il dit « libérer un homme soumis au sexe et à la parole », donc le libérer *du* sexe et *de* la parole ? Je crois qu'il a dit les deux. Cela peut s'arranger, certes : en alléguant, par exemple, que sexe et parole en nous, aujourd'hui, sont soumis : mais à qui ? à quoi ? Au capital ? On s'épuise en analyses que le spectacle du socialisme advenu rend dérisoires, à moins de voir *a priori,* en lui, une parousie... Alors ? Soumis au Diable ? C'est mon sentiment ultime, mais bien rapide !... C'est comme la fameuse « aliénation universelle contemporaine », la perte inconsciente de soi par l'homme. J'y crois. Mais, si nous savons bien qui nous opprime, *qui* ou *quoi* nous aliène ? Selon moi, c'est nous-mêmes, par notre choix profond, collectif de l'humanisme, de l'humain-rien-qu'humain, au détriment de ce qui en nous nous dépasse et nous constitue. Voilà ma thèse : elle est à peu près connue. Mais la vôtre ? Il la faut précise.

PH. SOLLERS : Doucement ! Et que faites-vous de la recherche ?

M. C. : D'accord. Excusez mes exigences brutales.

PH. S. : Je crois qu'en effet une des grandes questions d'aujourd'hui, c'est d'essayer de prendre la mesure de ce qui, de tout temps, immémorialement, pèse sur l'humanité, et dont elle n'a pas pris encore suffisamment conscience : le sexe, le langage. L'humanité croit trop au sexe, elle ne fait qu'y croire, et ce qui me gêne tout le temps, dans la pensée religieuse, c'est que j'y discerne une croyance exagérée au sexe...

M. C. : Tiens, le prochain Foucault! La belle rencontre que voilà!

PH. S. : D'autre part...

M. C. : Je glisse encore une parenthèse : je vais personnellement me démarquer, me désolidariser de ce que vous appelez « *la pensée religieuse* » en contestant l'idée même de religion. Mais reprenez la parole.

PH. S. : Et, d'autre part, je pense que le moment est venu, par une grande rupture qui est celle de la modernité, d'analyser le fait que l'humanité se rend compte qu'elle parle, mais aussi qu'elle a trop et toujours été trop parlée.

M. C. : Parlée, au passif, c'est ça?

PH. S. : Après tout, puisque nous sommes partis de Mai 68, il ne faut pas oublier que ça s'est appelé la *prise de parole*. Donc, quand je tenais cette formule sur le sexe et la parole, je voulais dire que, tout en revendiquant une conception tragique...

M. C. : J'en prends note, j'en prends acte.

PH. S. : Je crois que ce tragique, aujourd'hui, peut

aussi ouvrir sur une dimension de jeu. Tragédie et
fête : les deux choses sont inséparables. Sens du
tragique et sens du jeu. Nous manquons toujours
trop de jeu.

M. C. : Attention, attention, vous allez trop vite! Et
moi, je crois que nous n'aurons pas le temps de
traiter cela aujourd'hui. Une conception tragique,
d'accord. J'essaierai peut-être une autre fois de
vous embarrasser en vous demandant quels sont les
éléments contradictoires, quel est l'arc électrique
contradictoire qui fait cette tragédie, mais je suis
trop heureux de votre adhésion, de votre recon-
naissance du tragique. Pour un chrétien — homme
de Foi, non de religion —, le tragique de la
condition humaine est patent jusque dans la
Rédemption...

PH. S. : Nous avons donc d'abord à prendre nos
distances à l'égard de ce qui nous soumet, c'est-à-
dire, d'un côté, cette croyance sexuelle qui fait
gélatine, qui fait carcan...

M. C. : J'aime mieux gélatine : plus évocateur.

PH. S. : ... carcan d'une façon que les religions, les
religions institutionnalisées — c'est pour ça que le
dialogue avec vous m'intéresse — n'ont que trop
tendance à maintenir. Car les religions, tout le
monde le sait ou s'en doute, sont en fait une
alchimie sexuelle déguisée, où névrose et perversion
font parfois bon ménage...

M. C. : Je reprendrais presque à la lettre votre phrase : les religions sont une alchimie du sexe déguisée, car je ne suis pas pour les religions. Et je crois même que la foi chrétienne nous en libère, des religions, à condition de ne rien enseigner que son Histoire, sa Nouvelle, et de ne rien institutionnaliser que les sacrements christiques, et de ne reconnaître pour absolue Écriture Sainte que ce qui implique, touche et transforme en sa vérité notre condition. Donc, à vous, encore!

PH. S. : Quant au langage, nous le vivons, je crois, refoulé et réprimé. C'est pourquoi l'expérience de l'art me paraît si importante. J'ai essayé de dire que 1968 avait manifesté dans la rue cette émergence d'une possibilité de traiter le langage avec une distance et une aisance critiques...

M. C. : Et créatrice.

PH. S. : ... et créatrice. Et cela, tout le monde veut l'oublier aujourd'hui. On retombe dans le sommeil électoral, dans la surdité des appareils. Je vous disais, tout à l'heure, hors émission, que nous avions critiqué rapidement le rationalisme classique, le rationalisme des Lumières, mais que le XVIIIe siècle, par exemple, c'est aussi Mozart, c'est-à-dire une dimension du symbolique, pour employer enfin ce mot.

M. C. : A quoi je répondrai que Mozart est un au-delà de tout. Il troue son siècle au lieu d'être pris en lui. Nous n'avons pas le temps de parler de Mozart... malgré la Symphonie de Prague!

PH. S. : Voilà, mais enfin je voulais quand même le citer.

J. P. : Aujourd'hui, nous allons accumuler les regrets.

M. C. : Oui, mais alors, pour ne pas accumuler les retards, j'ai envie de résumer, de récapituler certaines choses. Je vous dirai ceci : la différence entre Sollers et moi, ce serait peut-être un peu celle de nos deux maîtres, Kant et Hegel : Sollers, c'est l'homme croyant à la très grande métaphysique, se voulant héritier des philosophies, et admettant — sans preuves, je crois l'avoir souligné — que la philosophie est quelque chose d'indispensable à l'humanité. Moi, kantien, je critique la possibilité même de toute métaphysique passée, présente et future, et, par conséquent, je fais un très grand déblayage selon la phrase fameuse : « *J'ai limité le savoir pour faire place à la foi.* »

Autre point de rapprochement : selon nous, l'Histoire peut se faire par ruptures, par fractures. Nous avons tous les deux employé l'expression « retour du refoulé ». Pour moi, le grand refoulé qui est venu en Mai 68, en bref, c'était Dieu ; pour Sollers, c'était autre chose, mais peut-être aurais-je dû, plus œcuméniquement, parler du grand Autre Chose qui est revenu alors. Donc, nous ne sommes

ni « humanistes » ni « progressistes », étant bien
entendu que nous croyons que cette époque-ci où
nous sommes, à quoi nous devons conspirer —
j'aime bien le mot, à cause de l'idée de souffle qu'il
a —, c'est justement le temps d'une libération
humaine, de la libération d'une dimension
humaine, que vous appelez le tragique, ou je ne
sais quoi, qu'on peut appeler chez moi le vrai
divin, qui a été occultée, enfouie et qui nous fait
violence, oui, qui nous viole avant de nous libérer,
de nous révéler, bref de nous rendre à nous-
mêmes; si bien que nous reviendrons, soit, soit, à
l'humanisme — nous ne sommes ni inhumains ni
surhumains! alors, pourquoi pas ce mot, s'il en
faut! —, à l'humanisme, dis-je, mais en ayant
balayé toutes ses petitesses rationnelles et, par
là même, totalitaires. D'autre part, pourquoi — là,
je reviens vers le sujet de l'émission —, pourquoi est-ce que je m'entends si bien avec les
athées — j'entends les athées à la pensée ri-
goureuse — et si mal avec les chrétiens vague-
ment idéologues? Eh bien, excusez-moi de me
citer encore, c'est que, pour les vrais et grands
athées, Dieu est Dieu. Les athées me disent : « *Si
j'avais la foi, j'aurais la vôtre* », et je les comprends
très bien. La foi est un vécu dont ils respectent chez
moi la présence et dont je respecte chez eux
l'absence. D'autre part, la Foi — c'est là que je

reprends Kant et saint Paul —, la Foi est radicalement différente de la raison, à telles enseignes que
j'ai pu dire que la raison, du point de vue
ontologique, chez l'homme, ne pouvait pas trouver
Dieu, ne pouvait pas même chercher Dieu, parce
qu'elle était elle-même, dans et par le péché originel, une aversion et une fuite de Dieu! Par conséquent, les chrétiens qui essaient de trouver Dieu par
la raison ou de faire faire bon ménage à Dieu et la
raison sont en quelque sorte des ânes chargés de
reliques, et je crois que Sollers me l'accordera.

PH. S. : C'est pour cela, d'ailleurs, que les rationa-
listes et les cléricaux, ces temps-ci, peuvent s'entendre.

M. C. : Comme larrons en foire, avec cette vaste
combine cléricalo-gaucharde où il paraît que je
trouble et casse la fête. Mais vous serez d'accord
avec le trouble-fête, je crois?

PH. S. : Ce n'est pas une fête, c'est quelque chose
d'assez sinistre. Vous troublez quelque chose de
sinistre.

M. C. : Justement en vue d'une fête possible et
commune. Et, alors, nous serions aussi d'accord,
finalement, sur cette espèce de retour d'une dimension humaine dont je vous ai montré à l'instant
qu'elle n'est pas spécifiquement religieuse. Il m'arrive très souvent de l'étendre, par exemple, dans
l'Antiquité, à un homme comme Socrate, qui a

apporté cette dimension, troublante et libérante à la fois, trouant sa cité, trouant sa culture vers je ne sais quelle transcendance, ou plutôt auto-transcendance humaine ; et c'est pour ça qu'on a tué Socrate, et le premier exemple de libération existentielle possible et de formidable répression culturelle, c'est lui. Alors, je crois qu'entre Dieu et Socrate nous pouvons nous mettre d'accord quelque part sur ce qui revient en nous pour nous rendre tous à nous-mêmes. Et, maintenant, coupez-moi quand vous voudrez, Sollers, il me reste quand même à montrer que je ne suis pas religieux, et que la Foi libère des religions.

Oui, une distinction a fait fureur pendant quelque temps entre la religion chrétienne et les autres religions : la religion chrétienne est une Foi, tandis que les religions ne sont que des religions. Eh bien, cette distinction, je la reprends à mon compte, et je vais essayer de l'aggraver encore. Je tiens — je résume ici ma pensée en trente secondes, si possible, sous forme de fable, presque de mythe —, je tiens que le péché originel (car, enfin, il faut bien y croire, si on est chrétien : les chrétiens sans péché me font bien rire !), le péché originel étant une a-version fondamentale de Dieu, l'homme du péché originel est de tout temps l'homme sans Dieu, l'homme, si vous voulez, seul au monde, et je dis qu'à ce moment-là, de par cette angoisse et

cette détresse formidables de l'homme, se crée entre
lui et ce Dieu qu'il a intérieurement et ontologiquement refoulé une sorte de compromis, de compromis névrotique, mais plutôt stabilisant et rassurant,
que j'appelle la religion ou les religions. J'accorde-
rai entièrement à Freud : 1. que la religion est une
névrose; 2. que les religions sont des opiums du
peuple. Pour moi, les religions naturelles ou
traditionnelles, comme vous voudrez, sont *à demi
vraies,* je viens de dire pourquoi : parce que Dieu
est réinfiltré, réadmis, mais de façon rassurante; et
pourtant opiums du peuple ou névroses, parce que
ce n'est pas Dieu en personne qui revient : c'est le
divin, le sacré, ou mieux *du* divin, *du* sacré. Car,
quand Dieu en personne revient par-delà le péché,
qui est une immense croûte et carapace contre lui,
eh bien, il nous brise, il nous casse, il nous tue.
Cela doit faire, cela a fait un sacré fracas dans
l'Histoire de l'humanité; cela s'appelle, vous me
l'accorderez peut-être, Abraham. Abraham est le
seul qui se soit ouvert à Dieu Lui-même comme
une grenade, peut-être aux deux sens du mot grenade : le fruit et l'arme. Là, notre tragédie humaine
originelle, qui n'est autre que la *mise à jour* de
notre origine dans l'événement, dans l'Histoire,
vous l'avez! Mieux, cet événement, par sa déchirure, ouvre et amorce l'Histoire, notre Histoire,
l'Histoire juive et chrétienne, peut-être la seule

historique, peut-être le seul temps des hommes ensemble, allant vers l'avant, avec les péripéties du progrès, mais progrès, et non la répétition cyclique du sacré ou les incohérences des guerres et des administrations des empires... Et peut-être aussi s'ouvrent et s'amorcent par-là — oui, se déclenchent — nos perpétuels mouvements politiques et surtout nos révolutions — nous avons inventé la Révolution! —, car, si l'accord d'une société païenne avec un Être immanent est assez facile et fixe, l'accord d'une société chrétienne en ses absolues libertés humaines avec un Dieu transcendant, même incarné, est à la fois perpétuellement exigible et quasiment impossible à mettre en concept et en pratique : alors, on change, ça change! Il n'y a pas même de Philosophie politique possible en Occident! Mais passons...

En tout cas, seule Histoire ou non, l'Histoire judéo-chrétienne est celle d'une révélation temporelle de l'Absolu en personne à l'homme, et créatrice de l'Homme. Notre Occident en vient. Quand il le nie, c'est qu'il l'occulte, c'est qu'il refoule Dieu au second degré, au carré, si j'ose dire... Nous serions donc toujours en révélation ou dé-révélation. D'où ma fréquente métaphore sexuelle. Cette Histoire est agonistique comme une lutte d'amour charnel. Dieu se révèle et me révèle, au sens où l'on dit qu'une femme est révélée. Toute révélation naît de cette lutte : aucun savoir, aucun texte, aucune nature humaine pensée ni vécue ne lui préexiste; la résistance à la Révélation est révélatrice, révélante : elle est la révélation même. Bref — je commence à répondre à la question par laquelle Paugam ouvrait ce dernier débat —, la religion chrétienne, ou plutôt la Foi chrétienne, est aussi vraie qu'il est vrai que l'homme, être absolument universel et singulier, existe. Elle a fait qu'il en fût ainsi, même si cela se reperd. Elle a fait cette réalité à « réaliser », ou non.

Et, maintenant, Sollers, vous comprenez mieux peut-être — je vais arrêter là — mon attitude antiphilosophique, du point de vue, non plus de la Critique, mais de la Foi. Si Dieu a pris la peine, le souci, tous ces tracas qu'on lui voit dans la Bible, et qu'on lui voit encore dans notre Histoire sainte où nous sommes toujours, de se dire à nous, de se révéler à nous et de nous rendre ainsi à nous-mêmes, fût-ce en nous violentant et en se tourmentant, c'est que nous ne pouvions avoir par nous-mêmes les lumières pour Le connaître, pour nous connaître. Par conséquent, la Révélation chrétienne (je vais très loin, là) dispense — et c'est l'abîme entre nous, Sollers, mais, comme je dis souvent aux grands athées, nous ne sommes séparés que par l'abîme —, la Révélation chrétienne dispense de philosophie. Et voilà pourquoi,

dans l'Histoire de l'Occident, les vrais penseurs
chrétiens, qui se comptent, d'ailleurs, sur les doigts
d'une main, ont toujours été des antiphilosophes,
des contestataires de la philosophie, Pascal contre
Descartes et le rationalisme ambiant, Kierkegaard
contre Hegel et le nouveau panrationalisme
ambiant; ou encore des gens contre Kant qui
détruisent, par une science nouvelle appelée Critique, le pouvoir de la raison vers une connaissance de l'Être en soi, le limitant et le validant
dans la Science, la Science des phénomènes. Voilà
ma position : la Révélation dispense donc de
philosophie, et je suis un petit, un homme révélé,
mais qui a pu, par sa formation critique, se
faire assez efficacement chien de garde vis-à-vis
de l'illusion philosophique et métaphysique où il
me semble, ce sera ma dernière flèche, où il me
semble que vous plongez encore avec une grandeur
intellectuelle que je respecte et que j'admire.

PH. S. : Je vous réponds tout de suite : vous avez
parlé de la foi, et je parle, moi, de la connaissance.
La connaissance, pour moi, est toujours possible,
et la connaissance du fait religieux dans toute son
étendue est, à mon avis, possible. C'est pour cela
qu'il faut distinguer la religion comme institution,
rituel obsessionnel, si vous voulez, et l'apparition
d'une *vérité* qui se donne comme discours subver-
sif. On fabrique de la religion, cela me paraît très

frappant, avec un discours en première personne, celle d'un sujet en train de prendre, dans son énonciation même, une dimension de vérité. Au fond, la religion ne sert peut-être qu'à *marquer* cette vérité. D'où le fait que Freud est venu montrer...

M. C. : Il était bon qu'il vînt, en effet...

PH. S. : Il est venu montrer en quoi la religion comme institution, comme ensemble de rituels, était une chose qui cachait le fonctionnement de la pensée vers quelque chose qui était inconscient, et définitivement, dans le sujet dit humain.

M. C. : Je vous accorde évidemment tout en ce qui concerne les religions, dont je viens de distinguer radicalement la Foi chrétienne, dans l'Absolu et l'Histoire à la fois. La Foi chrétienne est déjà une contre-religion, en quelque sorte, et peut-être la seule valable et efficace pour écarter les religiosités obsessionnelles, aliénantes et délirantes où notre humanité, soi-disant libérée par l'athéisme, se précipite aujourd'hui, la Raison en tête!

PH. S. : Mais y a-t-il une possibilité pour penser malgré tout cette « Foi chrétienne », ou bien est-elle au-delà de la pensée?

M. C. : Elle est au-delà de la pensée et elle a peut-être fondé notre pensée. Elle est au-delà de la Raison, et toute pensée critique de la Raison est bien forcée de lui laisser place, une place en creux que le vécu de la Foi viendra ou non occuper. Mais le mot de *pensée* distinct de la *Raison* peut nous rapprocher.

PH. S. : Oui, pensée au sens de *Denken*. *Was ist denken?* Qu'est-ce que penser la pensée? J'ai été touché que vous parliez de la Bible. Je reste persuadé que ce livre (après tout, c'est un livre) qui est partout, sur toutes les tables de nuit (par exemple, aux États-Unis), est un livre que personne ne *lit*. Il résiste. On le récite, on le cite, on rêve dessus, on se raconte des histoires avec, on le commente, on y *croit,* mais, c'est quand même étrange, on ne le *lit* pas. Et est-ce que le christianisme n'est pas quelque chose qui a refoulé la Bible? Après tout, nous sommes dans un pays catholique.

M. C. : Je vous l'accorde encore...

PH. S. : Nous sommes dans un pays catholique...

M. C. : Hélas, bien peu...

PH. S. : ... et nous savons que ces catholiques ne savent rien de la Bible.

M. C. : Ils sont les derniers à savoir quelque chose. Mais les jeunes s'y remettent.

PH. S. : Donc, voilà des gens qui ne savent rien de ce sur quoi ils se construisent, de ce dont ils se supportent, de quoi ils font foi.

M. C. : De ce qui les a faits.

PH. S. : De ce qui les a faits et parlés.

PH. S. : Nous parlions de Freud et de son *Malaise
dans la civilisation*. Il a écrit autre chose : *l'Avenir
d'une illusion*.

M. C. : Oui, ça, c'est moins bon : et ce n'est pas en
moi le calotin qui parle.

PH. S. : Et il a écrit autre chose encore : *Moïse et le
Monothéisme...*

M. C. : Moins bon aussi. C'est en le rédigeant —
l'un ou l'autre, je ne sais plus — qu'il écrivait à
Jones : « *C'est très dur. Je ne sais pas si j'y
parviendrai. Que Dieu me vienne en aide!* »

PH. S. : C'est une question à discuter. N'empêche
que, dans cette question posée par Freud, moi, je
vois aujourd'hui, au niveau de la pensée, la
possibilité d'analyser en quoi on a toujours tort de
dire : « la tradition judéo-chrétienne ».

M. C. : Je n'ai jamais dit ça. J'ai toujours dit :
l'Histoire absolue qui a fait le judéo-christianisme
et qui dépasse les pauvres judéo-chrétiens que nous
sommes, avec notre Bible inerte sur notre table de
nuit ou complètement refoulée par l'Évangile
humanistisé.

PH. S. : Mais, de même qu'il y a eu un refoulement de
la Bible par le christianisme, de même un autre type
de refoulement — par l'Islam — est peut-être en train
de nous tomber dessus. Et peut-être vivons-nous à
la fois cette décomposition chrétienne et la répétition d'un grand drame déplacé et renouvelé...

M. C. : Sollers, Sollers, j'admets et j'admire ce que vous dites. Mais n'oubliez pas que je suis le pauvre petit journaliste transcendantal qui intuitionne l'instant dans son pays et dans sa culture...

PH. S. : Vous avez pourtant écrit...

M. C. : ... et qui ne peut plus vous suivre en ces grands développements historico-cosmiques, à plus forte raison quand ils se font futuristes.

J. P. : Je crois qu'on va s'arrêter là, compte tenu des délais. Non? Maurice Clavel, encore quelque chose là-dessus?

M. C. : Non. Ou plutôt je voudrais peut-être essayer de rassembler... On a vu tout ce que j'abandonne à Sollers, et ce n'est pas par concession, lâcheté, compromis radical-socialiste, au contraire. Je dirais ceci : la Foi chrétienne est une antireligion. Freud, en cela « allié objectif » du christianisme, n'a pu dissiper ou réduire que les religions ou mystiques de l'immanence. Moïse et le Dieu de Moïse sont peut-être, pour lui, le rêve ou la projection d'une tribu. Mais Abraham quitte sa tribu. Abraham n'est pas freudisable. Abraham est un homme qui vivait, justement, dans un milieu religieux où tout était « religiosé » — pardonnez-moi —, sa famille, son clan, sa maison, ses aïeux, et auquel un appel a été fait : tu quitteras, tu quitteras, tu quitteras... Pourquoi? Pour rien... Et tu iras... Où ça? Nulle part. Où je te dirai... C'est de cet arrachement

absolu, tragique, sanglant, déchirant — voir le
sacrifice d'Isaac et, plus tard, le sacrifice du
Christ : je ne peux pas raconter ces deux mille ans
en deux minutes —, c'est de cet arrachement
absolu que nous, qui parlons aujourd'hui, sommes
nés, que nous sommes faits, et qu'est même tirée,
extraite, notre universelle rationalité occidentale,
jusque dans la mesure où elle se retourne contre
cette origine même, et la refoule et l'occulte et la
nie! Ce qui m'a permis de conclure mon livre, *Ce
que je crois,* en disant : l'homme absolu a été
inauguré, au sens fort du mot, instauré, par
Abraham, en Abraham; il a été accompli, réalisé
par et dans le Christ : sacrifice du Christ absolument seul et nu — *ecce homo* —, Résurrection du
Christ sans momie ni traces dans le tombeau; mort
et Résurrection désormais sources de vie vraie,
sources, non exemples, propagées et communi-
quées en puissance et acte à toute l'humanité,
présence désormais invisible et irradiante qui permet, qui inspire, qui *crée* le grand cri de saint Paul :
« *Il n'y a plus désormais ni Juif, ni Grec, ni esclave,
ni homme libre, ni homme, ni femme, il n'y a plus
que des frères du Christ* », du Christ non « en-
seigné », ô Bossuet, mais *communiqué,* en sorte que
je dis à l'athée humaniste : « *Tu brandis, contre
Dieu, l'Homme. Mais Qui t'a fait homme?* »

J. P. : Belle phrase de conclusion. Il nous reste

maintenant deux minutes : je voudrais vous poser à
chacun une question. Philippe Sollers, au point de
départ, votre inquiétude était que Maurice Clavel
soit manipulé très directement par un certain
nombre de personnes dans un sens politique bien
déterminé. Après une semaine de débats et de vie
avec lui, qu'est-ce que vous en pensez? Est-ce que
ce danger existe véritablement?

PH. S. : Tant que Clavel parle, parlera, écrira ce
qu'il pense, ce qui lui est visiblement, quand on
l'écoute, imposé comme pensée, aucun risque de ce
genre ne peut, à mon avis, se produire. Ça
n'empêche pas que c'est un risque qui, de toute
façon, le guette, comme tout homme qui s'en remet
à une inspiration qu'il essaie de tenir, dont il essaie
de tenir l'enjeu, le pari. Donc, il est dans un risque.
Dans un risque personnel tout à fait audible au
niveau de ce qu'il dit, et dans un risque par rapport
à ceux qui ne manqueront pas d'essayer d'affadir et
de stéréotyper ce qu'il dit.

J. P. : Maurice Clavel, une question.

M. C. : La même, je suppose?

J. P. : Non, pas la même.

M. C. : Dommage : j'avais une réponse! La voilà
quand même. J'entends que je serais un homme
libre entre tous les hommes libres. Je ne le démens
pas, mais je dois rectifier, préciser : je suis un
homme libre parce que je suis un être qui a été

libéré, délivré. Je n'ai pas le mérite de ma liberté.
Je tenais à le marquer pour finir.

J. P. : La question que je vous poserai, c'est celle
d'un auditeur qui nous a téléphoné hier : depuis
le début, vous n'avez pas parlé une seule fois de
Soljénitsyne : c'est la grosse surprise!

M. C. : Mais pourquoi? On connaît mon sentiment
sur Soljénitsyne, j'ai trouvé admirables les propos
de Sollers sur Soljénitsyne, je n'ai rien à y ajouter.
C'est l'événement de la seconde moitié du
XXᵉ siècle. Il est très significatif, avait dit Sollers,
que ce soit un écrivain qui fasse cet événement
mondial, cet événement cosmique. Que voulez-
vous que j'ajoute? Je n'ai pas — justement au nom
même de cette liberté, que je la doive au Seigneur
ou non —, je n'ai pas à être hanté par Soljénitsyne.
Je ne suis pas un maître, certes, mais je ne suis pas
un disciple.

J. P. : Ça veut dire aussi, Maurice Clavel, que vous
ne l'abandonnez pas en cours de route comme
certains vous en ont soupçonné?

M. C. : Je n'abandonnerai pas Soljénitsyne... Un
dernier mot sur Sollers : je le croyais « de l'autre
côté »; c'est beaucoup moins simple que cela... J'ai
eu raison de l'aimer sur un télégramme.

Épilogue

Dimanche 31 octobre 1976

J. PAUGAM : Depuis nos cinq premiers entretiens s'est produit un événement capital : la mort de Mao Tsé-toung. Cela vous a donné, Philippe Sollers, l'occasion de faire, dans les colonnes du journal *le Monde,* une intervention très remarquée. En quoi ces données récentes, Maurice Clavel, appellent-elles un épilogue, en quelque sorte, pour ce face-à-face?

M. CLAVEL : Je dirai tout d'abord — et c'est un hommage à vous-même et à France-Culture — que ces cinq entretiens, par ce qu'ils avaient d'heureux et, inévitablement, d'inabouti, nous ont donné envie de nous revoir. Nous avons passé une journée ensemble à Vézelay, assez féconde, semble-t-il, pour l'un et pour l'autre. D'autre part, la prise de position de Philippe Sollers dans les colonnes du *Monde,* à propos des derniers événements en Chine (la mort de Mao, l'élimination de Mme Chiang Ching et du groupe de Chang-hai), me paraît décisive. Si nous n'en parlions pas, ces entretiens seraient, à leur publication même, déjà vieux, anachroniques, commémoratifs de nous deux : ce

serait attacher trop d'importance à une rencontre,
à une étape commune. Il est donc grand temps de
les réactualiser par cela même qui arrive à la
pensée de Sollers. C'est donc lui, par conséquent,
qui sera le principal acteur de cet épilogue.

PH. SOLLERS : Je suis très heureux, en effet, d'avoir
poursuivi le dialogue avec Maurice Clavel, pendant
toute cette période qui est, selon moi, extrêmement
grave et importante. Je commencerai par une
apparente anecdote : j'ai eu un rêve — peut-être
n'ai-je pas eu véritablement ce rêve, mais suppo-
sons que je l'ai eu. J'ai donc rêvé de Marx, de
Lénine et de Mao, après sa mort, me disant tous
les trois : « *Ce marxisme quand même, quelle
merde!* » Les événements actuels en Chine me
paraissent être une véritable tragédie. Et je suis très
étonné de la relative passivité avec laquelle ils sont
appréhendés par l'opinion et par l'information.
C'est la raison de ma manifestation. Revenons un
peu sur ma propre histoire.

C'est en 1966, précisément à cause de la Révolution culturelle, que je me suis intéressé au marxisme. Je ne m'y serais peut-être pas intéressé
autrement. Mao, en effet, à l'époque, semblait
réinventer l'horizon, clos par Staline, de la révolution. Et la conjonction, pour moi, entre la culture
chinoise que j'ai toujours sensuellement et intellectuellement aimée et la promesse d'un dépassement

du cancer stalinien par une autre conception, ouverte et inventive, retrouvant l'intelligence pratique de l'action révolutionnaire, cette conjonction, donc, suscitait en moi les plus grands espoirs : peut-être allait-on avoir enfin une révolution qui dépasserait la révolution devenue contre-révolution en URSS... A mon avis, Mao a prolongé, pour nous, la vie de ce qu'il faut bien appeler, aujourd'hui, l'illusion marxiste, et cela pendant les dix dernières années.

M. C. : Je ne savais pas que vous aviez adhéré au marxisme, en dernière instance, grâce à la Révolution culturelle. Autrement dit — soupçon inévitable! —, vous auriez adhéré au marxisme par ce qui le dépassait, le transcendait, peut-être même le niait!... Mais, au fait, vous venez de dire à l'instant l' « illusion marxiste ». Serait-ce au sens décisif et définitif où Freud parlait de l' « illusion religieuse »?

PH. S. : Oui. On croit dépasser la religion et on la rétablit sous sa forme la plus répressive. Nous sommes arrivés à l'impasse absolue de ce qui croit dépasser la religion en posant que son dépassement va de soi... Ah! qui nous débarrassera de la religion?

M. C. : La Foi! Rien que la Foi!

PH. S. : Chrétienne?

M. C. : A vous de répondre, plus tard... Mais

m'accorderez-vous, désormais, mon raisonnement du deuxième entretien, je crois, qui « généralisait » déjà l'impasse marxiste? Savoir que la contestation qui s'exerçait en Mai 68 au nom d'un pur ou d'un plus pur humanisme, cherchant ainsi le remède dans la racine même du mal, était un cercle vicieux logique et, par là même, pathologique, intériorisant et aiguisant à son paroxysme, sans remède, la contradiction qu'elle prétendait surmonter; définition, disais-je, de la névrose obsessionnelle, se défendant contre l'angoisse par les mécanismes qui l'exaltent, passant de l'expérience de la contradiction à une expérience contradictoire, donc mortelle. D'où la « pourriture » actuelle de ces contestataires-là. M'accorderez-vous cela?

PH. S. : A peu près...

M. C. : N'est-ce pas ce qui a failli vous arriver et que vous venez de briser victorieusement par votre dernier sursaut? Oui, Sollers, revenons en Chine... En effet, qu'a été exactement cette Révolution culturelle : un retour aux sources du marxisme? Ou bien, de la part de Mao, qui se trompait au fond sur lui-même, un génial ballon d'oxygène, un secours extérieur et inespéré au marxisme agonisant?

PH. S. : Mao s'est rendu compte, à ce moment-là, que le marxisme était devenu puissamment bureaucratique...

M. C. : Était devenu ou était?

PH. S. : ... et empêchait ainsi la révolution de continuer. Voilà pourquoi il a lancé la Révolution culturelle, qui reviendra, je le pense, comme une interrogation dans l'Histoire. Et remarquez bien qu'aujourd'hui ce sont tous ceux qui représentaient cette Révolution culturelle qui sont arrêtés, liquidés et empêchés de s'exprimer. C'est très grave, car même Trotski a été expulsé par Staline et a pu ainsi parler au nom de l'Histoire mondiale et au nom de ce qui se passait en URSS. Aujourd'hui, nous ne savons rien de ce que pourraient dire les femmes et les hommes emprisonnés en Chine.

M. C. : Ou encore, sur le point d'être rééduqués...

PH. S. : « Rééduqués » ou « jugés », avec tous les guillemets que vous voudrez. La Chine, d'autre part, fait partie aujourd'hui de presque toutes les organisations internationales. Cet humanisme, dont nous allons parler tout à l'heure, devrait donc se déclencher immédiatement et poser la question : que deviennent exactement les gens qui sont arrêtés aujourd'hui en Chine ? Pour l'instant nous n'avons pas beaucoup relevé de protestations et je trouve cela stupéfiant.

M. C. : Vous connaissez sans doute le mot de Morvan Lebesque : « *La prise de conscience humaine universelle est une vraie prise : on la branche et on la débranche à volonté !* »

PH. S. : Eh bien, branchons-la de façon urgente !

M. C. : Et permanente...

PH. S. : Mai 68 n'aurait pas eu lieu, je pense, sans le tremblement de terre qui venait alors de Chine : les villes soulevées, la jeunesse dans les rues, la migration sensationnelle de populations brusquement en état d'interpellation, les *dazibaos,* les affiches contradictoires, bref, tout un art politique de masse couvrant les vieux murs de la résignation humaine. Tout cela était comme la préfiguration d'un soulèvement planétaire, une crise sens dessus dessous de la pyramide du pouvoir. Pour la première fois, un pouvoir semblait se contester lui-même ! Ce moment, en tout cas, restera comme une des grandes dates récentes de l'Histoire ; comme la Commune de Paris, comme Mai 1968...

J'ai pensé, en 1968 et depuis, que la pensée de Marx était réinventée de fond en comble, vivifiée, ressuscitée, prenait une dimension nouvelle. Secrètement, pourtant, je m'étais fixé une limite : celle de l'attitude de la Révolution chinoise à l'égard de la mort de Mao. S'il y avait mausolée, je considérais que la tragédie de l'impasse marxiste recommençait. A la mort de Lénine, la Révolution soviétique était déjà profondément compromise, et Lénine lui-même en était conscient. Or, il a suffi de momifier et d'exhiber Lénine pour que commence une inversion généralisée des signes : Staline est apparu comme un modéré, un homme d'ordre.

Nous avons découvert plus tard sur quoi se fondait cet ordre : la terreur et le fait concentrationnaire. Alors, je pose la question : qu'y a-t-il d'aussi mortifère dans le marxisme, pour qu'il se transforme en répression au nom du culte des morts? Pourquoi cette sinistre parodie des mausolées de Lénine et de Mao, au nom desquels Brejnev et Hua Kuo-feng, les petits hommes pressés de l'administration policière, vont désormais s'entendre?

Vous voyez, Clavel, on en revient toujours au problème du grand homme. Le grand homme dit qu'il ne faut pas s'occuper de lui, mais de sa pensée, comme catégorie de l'universel. Sur quoi on le transforme en momie, ce qui veut dire : « Cause toujours... » Et le voilà réduit à l'état de citation justifiant n'importe . quoi. Il suffit de s'assurer de l'armée et de la police.

M. C. : Je ne suis pas contre le grand homme. Ce me semble être de nos jours une facilité, un lieu commun. Pour notre révolution culturelle, la vraie, j'espère qu'il y aura des grands hommes. Mais ce seront des serviteurs fidèles, des fidèles accoucheurs de ce qui doit naître et naîtra, perpétuellement. C'est dire que le grand homme que j'espère, c'est tout le contraire du mausolée. Il n'y aura plus de Maîtres, mais des Serviteurs.

PH. S. : Mais je défends aussi le grand homme, Clavel, au sens où Nietzsche, dans une parole magnifique, dit qu'il faut toujours défendre les forts contre les faibles...

M. C. : Et vous m'avez dit, avant-hier : « *Mao et de Gaulle ne sont grands et n'existeront que parce que, en politique, ils cherchaient... autre chose...* »

PH. S. : Et je le maintiens. Tout, en Chine, s'est joué autour de l'interprétation du cadavre. Pendant quinze jours, à la surprise de tous les observateurs mondiaux, on n'a pas su ce qui était arrivé au cadavre de Mao. Et puis il y a eu le coup d'État. Les Russes l'attendaient avec passion. Ils l'ont eu. La normalisation plus ou moins secrète des deux sociétés, soviétique et chinoise — c'est-à-dire leur accord sur la toute-puissance de la bureaucratie et du parti —, n'est plus qu'une question de temps et d'apparences...

Mao a échoué, comme Marx, comme Lénine, comme la Commune de Paris, comme Mai 68. Le paysage, de ce point de vue, est accablant. Une fois de plus, on part pour l'abolition de l'État et on arrive à son renforcement maximal. On part de l'autodétermination des masses et on arrive à leur anesthésie, à leur manipulation. Il y a là un problème terrible. Des exceptions viennent rétablir la règle : est-ce qu'on peut dire, alors, que la règle avance? Peut-être, mais à quel prix! Je crois que l'humanité reste en proie à la passion religieuse. Celle-ci n'est jamais si patente qu'autour du problème de la mort. Quoi de plus simple, en effet, que de refermer l'horizon sur la terreur et le respect sacré du cadavre? C'est, si vous voulez, une vieille histoire égyptienne... Jamais l'analyse de Freud sur la fonction du père mort n'a été autant d'actualité. Il y a, pourrait-on dire, comme une passion nécrophile de l'humanité. C'est la fascination pour la lettre qui tue, la lettre morte. Après tout, le Christ aussi, dans sa simplicité grandiose, serait bien étonné s'il pouvait juger du christianisme!

M. C. : Certes! Mais Il nous savait et nous a prévus à jamais pécheurs, Lui! Pécheurs rachetés ou rachetables, mais pécheurs! La différence est capitale!

PH. S. : Du christianisme, disais-je, et des incroyables détails de la névrose qu'il a engendrée!

M. C. : J'accepte « névrose ». Mieux, dans *Ce que je crois,* j'appelle le plus pur christianisme une « psychose ontologique incurable »! Mais vous, Sollers, vous me disiez, il y a quelques jours : « *Le coup de génie du christianisme, c'est qu'il n'y a pas de mausolée du Christ, c'est que nul n'a vu le Christ ressusciter...* » Et l'aberration des Croisades consistait précisément, selon votre grand Hegel, à vouloir aller chercher le cadavre là-bas, quelque part en Palestine...

PH. S. : Oui. L'avantage, alors, du christianisme le marxisme — s'il est vrai que le marxisme de la religion de notre temps — serait que le tombeau est vide et qu'aucun pape ne peut se faire adorer à cet endroit. Alors qu'au contraire nous pouvons imaginer, dans l'avenir, la mise en place d'un système d'illuminations concomitantes des cadavres de Lénine et de Mao devant plus d'un milliard de gens frappés d'interdit.

M. C. : Deux milliards d'yeux qui clignent...

PH. S. : Ou plutôt qui ne clignent pas... Et j'observe ici, parmi nous, Occidentaux, troublés et confus, une grande passivité à l'égard de tout cela. Cette passivité m'étonne et elle ne m'étonne pas. C'est la mort — le « maître absolu », dit Hegel — qui, une fois de plus, nous fait sentir sa poigne.

M. C. : Mais alors, Philippe Sollers, où est la Vie? A-t-elle été dans les catacombes où on lit les inscriptions : « *Tu vivras, tu vivras, tu vivras...* » Je n'en sais rien, certes, car la foi n'est pas un savoir...

PH. S. : Je n'en sais rien non plus.

M. C. : Bravo! Mais moi je sais qu'elle est là, la Vie, qui revient. Et vous et d'autres de votre génération, Sollers, vous n'aurez pas le pouvoir, Dieu soit loué, mais la puissance interne de vivre et d'aider les autres à revivre...

PH. S. : Par rapport à ce pouvoir des pouvoirs que j'appelle la poigne de la mort, nous sommes pour ainsi dire désarmés.

M. C. : Maintenant, non!

PH. S. : La passion politique ouvre sur la découverte de ce fond nécrophile. Est-ce dépassable?

M. C. : Maintenant, oui!

PH. S. : La politique est toujours...

M. C. : Plus toujours!

PH. S. : ... quelque part fondée sur la pourriture, sur une pourriture plus ou moins discrète, mais par rapport à laquelle quelque chose jouit. Cette jouissance de toujours, mais de plus en plus visible sur fond de cadavre, voilà la vraie énigme de notre temps. Étrange aboutissement pour la raison, n'est-ce pas? Étrange insistance de ce qui, dans la raison, ne peut pas rendre compte de ce sur quoi elle s'appuie pour parader et prétendre tout expliquer. Finalement, la Raison a ses raisons, voilà.

M. C. : Mais la raison ne peut pas rendre compte de la raison! Elle n'a jamais pu! Et il faut réactiver la critique de la Raison pure, perpétuellement — sans s'en tenir, bien sûr, à la lettre kantienne, en grattant par-dessous. « *Le marxisme,* me disiez-vous l'autre jour, Sollers, *ne sert qu'à prendre le pouvoir et non à le mettre en question, une fois là.* » C'est vrai, mais le marxisme ne repose quand même pas sur une théorie du putsch, puisqu'il tend à inclure toute l'humanité dans ses bouleversements...

Alors quoi? Où est le mal? Selon moi, le voici :

dans ses écrits de jeunesse, Marx parle de l'aliénation originaire de l'essence humaine par la pro-
priété, et de la réappropriation de cette essence
humaine par la révolution économique. Le tout
selon la suprême rationalité hégélienne, simplement
matérialisée. Par conséquent, quand la révolution
économique a eu lieu, tout doit aller bien, puisque
l'homme a retrouvé son innocence originelle. Mais,
alors — attention! —, la moindre « déviation », la
moindre peccadille deviennent *absolument mons-*
trueuses, car rigoureusement inexplicables! D'où
l'enfer, nécessaire. Ce n'est même pas un hasard si
les procès de Moscou ont utilisé le vocabulaire le
plus horriblement religieux : satanique, diabolique,
etc. C'était inévitable. Il n'y a donc pas — ô
pensées lamentables! — de « déviation » du marxisme à corriger pour retrouver je ne sais quelle
source, puisque la source est elle-même empoisonnée.

Quels sont, d'autre part, les ressorts de l'action
marxiste chez l'homme, en l'homme? Ils sont très
profonds et l'on comprend le succès de Marx : ils
sont quasiment psycho-ontologiques. Du fait de la
lutte des classes comme loi universelle de l'Histoire
s'établit tout un système manichéen du Bien absolu
et du Mal absolu, le prolétariat contre la bourgeoi-
sie : et quelle force donne un combat où l'on ne
doute jamais de soi, n'est-ce pas! Enfin, grâce à

l'entourloupette gigantesque de la Dialectique, selon laquelle nous en sommes à la « lutte finale des classes », ce conflit prolétariat-capital, cette contradiction décisive et ultime aboutit à une réconciliation pour ainsi dire eschatologique de l'humanité avec elle-même. Dès lors — est-ce clair ? —, le combattant marxiste avait sur tout autre deux avantages suprêmes : il satisfaisait son besoin d'agressivité absolue et son besoin de paix totale. Tout le narcissisme infantile de l'homme — le bébé qui casse tout et se réfugie dans le sein maternel réconciliateur — s'en trouvait flatté, exalté, épanoui, et c'est ainsi que nous avons abouti à la nécrose dont vous parlez. Et je conclus, de manière presque définitive : le marxisme, maintenant, c'est joué !

PH. S. : Je suis en grande partie d'accord avec vous. Je suis très frappé que vous envisagiez cette impasse du marxisme sous la forme du retour au sein maternel. C'est peut-être, là encore et toujours, un rêve, servant, comme tous les rêves, à prolonger le sommeil. Oui, il y a, dans cette nécrose, comme la figure archaïque d'on ne sait trop quelle grande mère fondamentale... Mais cela nous entraînerait trop loin. Je poursuis. Rien ne peut être plus délirant que la volonté de tout rationaliser. Est-ce à dire, en ce cas, que la religion ait raison ? Elle aussi peut servir à n'importe quoi !

M. C. : Mais la religion n'est pas raison...

PH. S. : Elle peut cependant être liée au pouvoir et partie prenante de sa mise en scène.

M. C. : Elle l'a bien montré! Cependant, je suis un homme de Foi, pas un homme de religion, et le pouvoir, qui a ses saints, n'a pas les saints; c'est toujours cela. Le reste est péché. Et le péché d'une Église de pouvoir est scandale — moins grave, cependant, et plus intermittent, qu'un pouvoir se faisant essentiellement et substantiellement Église... Cela dit, dans la mesure où nous sommes devant le néant de ce monde, ne croyez pas, Sollers, qu'avec ma foi chrétienne je sois plus avancé que vous! Ma foi n'est pas un savoir et je sais, de par l'Inquisition entre autres, hélas, qu'il n'y a pas de politique tirée — au moins conceptuellement — de l'Écriture sainte. Ma foi sera, sans nul doute, ferment de libération, mais je n'en déduirai rien. Nous sommes, vous et moi, à la même enseigne dans un magnifique début de recherche. Ma foi me donne peut-être — c'est normal — plus d'espérance!

PH. S. : Ce que vous venez de dire est très important. Mais que le marxisme soit devenu aujourd'hui la religion la plus contraignante, voilà, à mes yeux, le scandale majeur. Je vois tous les jours des gens prononcer le mot de « chrétien » comme une injure. Sans doute, ces gens-là ne se pensent pas staliniens, et pourtant ils le sont. Dans leur bouche,

cette insulte veut dire qu'ils préfèrent la momie et la pourriture du cadavre à toute idée de résurrection. Même s'ils ne le savent pas clairement, cela *s'entend*. Cette croyance formidable au père mort dans le placard de la pensée quotidienne, cette folie déguisée en raison, ce crime évident, constant, avec ou sans crime, c'est ce que j'appelle la folie légale.

M. C. : Oui, la folie force de loi... Mais vous dites « folie déguisée en raison », comme si la raison était le Bien absolu! Pour ma part, je reprendrai le grand cri de saint Paul dans l'*Épître aux Corinthiens,* cri qui commence et achève dans le même temps toute théologie chrétienne possible : « *Notre folie confond la raison de ce monde!* » Le christianisme, en un mot, c'est la Résurrection dans l'invisible, dans ce Christ que nul n'a vu ressusciter... Mais nous aussi, nous allons ressusciter, Sollers, ici même, et aussi politiquement!

PH. S. : Je n'en sais rien.

M. C. : Je le crois! Je n'en puis rien dire de plus, mais je le crois. Vous dites souvent, Sollers, la « renaissance », la « vie », la « créativité », et des auditeurs de nos entretiens m'ont écrit que c'étaient là des « notions confuses ». Je leur ai répondu ce que je vous réponds : en tant que *notions,* elles seront toujours confuses. Oui, « notionnellement », je n'en sais pas plus que vous. Mais, pour moi, la vie, c'est Celui qui a dit : « *Je suis la Vie.* » La renaissance, c'est Celui dont on a pu dire : « *Il est ressuscité!* », et qui nous ressuscite! Ce n'est pas un savoir, mais il n'y a pas d'autre savoir. « *L'Absolu est Sujet* », c'est de la faribole philosophique. L'Absolu est Sujet parce qu'Il s'est révélé ainsi, parce qu'Il l'a dit et que je Le crois. Comme *fait* et non comme allégorie ou mythe!

PH. S. : *A priori,* tout ce qui dépasse, tout ce qui pose une question, tout ce qui essaie d'aller plus loin que cette couveuse de morts vivants, sera censuré, combattu, freiné, arrêté. Nous entrons dans l'ère psychiatrique et chimique, dans l'ère des grandes manipulations plus ou moins visibles. Il me semble qu'un intellectuel, aujourd'hui, doit plus que jamais parler et alerter sur ce sujet ceux qui peuvent entendre.

M. C. : Un intellectuel, et c'est vrai plus que jamais, doit réveiller... Or, beaucoup, encore, dorment et ronflent et ronronnent!...

PH. S. : Je reviens au langage. Le point de fuite du cadavre comme bouchage de la pensée, c'est la transformation de la lettre en lettre morte, en stéréotype faisant loi; la loi des morts sur les vivants, la loi du pouvoir. Autrement dit, le verbe devenu appétit de chair morte.

M. C. : Bravo!

PH. S. : Je dirai alors qu'il nous faut un nouvel esprit du commencement et un verbe assez fort pour éviter ce passage immédiat de la chair au cadavre.

M. C. : Résurrection?

PH. S. : Ce verbe est celui de la subversion pour le sujet et, parfois, pour les masses prises comme sujet. Mais, en ce point, aujourd'hui, nous sommes devant l'inconnu, dans un moment vertigineux où la planète hésite, où l'enjeu même de l'espèce hésite. Je n'ai pas dit que je n'aimais pas l'inconnu. Mais c'est pour cette raison même que nous ne devons pas donner de réponse. Questionner et requestionner, seule méthode contre le sommeil. Le sommeil de la raison engendre les monstres, dit-on. Pas du tout! Le sommeil par rapport aux monstres engendre une raison d'autant plus monstrueuse qu'elle prétend totaliser la raison. Il faut refuser, encore refuser, toujours refuser, au nom de la liberté concrète.

M. C. : Voilà, pour ma part, pourquoi je pense en ce moment si souvent à Socrate! Mais on l'a tué, et c'est une culture profonde du sommeil qui l'a tué, je le répète, et non un parti, un clan, un régime. C'est la Grèce, qu'il avait subvertie par et vers l'infini mystérieux qui est dans l'homme. Le « retour à la Grèce présocratique », aujourd'hui, quelle rigolade sinistre! Quelle fuite encore et encore! N'importe quoi! Tout pour ne-pas-Dieu, n'est-ce pas? Tout pour ne-pas-l'Homme majuscule!

PH. S. : C'est une ciguë... qui fonctionne partout.
Quand vous disiez, Clavel : « *Ni Pinochet ni
Goulag!* », vous voyez : on est toujours devant
cette même vieille histoire de fascisme et de
stalinisme. La vérité du corps libre dans une pensée
et une parole libres n'a jamais été plus fragile et
plus menacée. L'insubordination me semble donc
plus nécessaire que jamais. La Révolution culturelle en Chine, Mai 68, sont peut-être des phénomènes enfouis, mais rien ne nous interdit de penser
qu'ils reviendront un jour frapper à la porte...

M. C. : Parbleu que si!

PH. S. : Or, les gardiens de cette porte ont aujour-
d'hui tout le pouvoir. Gardiens du vieux monde
halluciné, gardiens du monde bien réel fonction-
nant à la machine appelée marxiste, donc dé-
traqué. Gardiens de droite et gardiens de gauche.
Partout, aujourd'hui, c'est ce que je ressens, la
pensée est en résidence surveillée.

M. C. : Et c'est cette résidence surveillée, souvent
adroitement et invisiblement surveillée, que nous
avons à briser! J'admets, j'accepte de tout mon
cœur ce que vous venez de dire. Je n'y ajouterai
que quelques remarques.

Je voudrais m'expliquer tout d'abord, et encore,
sur ce que j'ai appelé, tout au long de ces
entretiens, et avec un certain mépris, « humanisme ». L'humanisme a des sens bien différents.

L'humanisme que je condamne et dont nous voyons, en Occident, les fruits détestables, c'est celui de l'homme qui ne voulait être qu'homme, c'est l'humanisme du « petit homme », comme dit familièrement Foucault pour indiquer ce qu'il déteste chez nous. Ce que je nomme « auto-transcendance humaine » — dont l'*initiateur* fut probablement Socrate —, convenez que ce n'est pas cet humanisme totalitairement étriqué, qui finit, pardonnez-moi, à la trique! Cette poussée d'auto-transcendance humaine, dont Mai 68 fut un des premiers signes, reviendra, parce que nous n'en pouvons plus de notre aliénation, de tous ces pouvoirs sur nous que nous nous sommes partout créés, comme par enchantement, un enchantement mauvais : oui, captivés par nous-mêmes. La Vie, Dieu, l'âme, que sais-je encore, doivent pouvoir les briser. Je le crois... Il faut nous y préparer. Bref, je suis antihumaniste, dans la mesure exacte où l'humanisme de ces quatre derniers siècles est secrètement — de moins en moins secrètement — totalitaire et donc inhumain. Voilà.

Et, justement, je veux, je dois préciser encore pourquoi je suis, ici, maintenant, et pour long-temps, *révolutionnaire*. Je le suis, maintenant, ici, parce que la révolution est là! Certes, la mort définitive de Marx, la liquidation, que dis-je, l'auto-liquidation de toutes les parousies ou escha-

tologies temporelles, de tous ces paradis historico-
terrestres qui s'avèrent autant d'enfers — ces
parousies et paradis, quelles parodies! —, tout cela
semble éloigner la révolution et nous ramener à une
conception traditionnelle, plus négative et modeste,
de la Politique : réparer, ou plutôt limiter, chez les
hommes ensemble, les manifestations ou effets du
péché originel; et cela n'est évidemment pas la
révolution, mais le réformisme. Alors, pourquoi
suis-je révolutionnaire? Parce que nous ne sommes
pas aujourd'hui, nous, Occidentaux, dans l'état de
péché originel, mais de péché originel au carré!
Parce que l'avènement et l'assomption humanistes
athées des deux derniers siècles ont réitéré, répété,
réinstauré le péché originel dans et par notre
culture, refoulant et enfouissant au fond le plus
inconnu de nous, jusque dans l'Histoire et la
Politique, ce qui nous dépassait en nous consti-
tuant. Et c'est cela qui est devenu intenable! C'est
ce péché originel au carré qui va éclater, se briser!
Le refoulé revient! L'homme n'en peut plus du
rien-qu'humain! Bientôt va se délivrer en nous la
dimension décisive, dans ce même combat convul-
sif, au moins intérieur, que j'ai vu en Mai : donc
révolution ou libération. Nous serons, par une
effraction du fond de nous, rendus à nous-mêmes.
Je suis révolutionnaire maintenant et pour maintenant à cause de cette libération humaine immi-

nente. Les adolescents sont toujours révolutionnaires. Les anges — je veux dire les deux auteurs
de *l'Ange* — sont « *rebelles* » *in aeternum* et
construisent là-dessus leur métaphysique dualiste
de toute l'Histoire, pas moins! Moi, non.

Voilà pourquoi je suis aussi *profondément* que
momentanément révolutionnaire — ce « moment »
de l'histoire devant probablement prendre le reste
de ma vie. Et c'est d'une révolution profonde qu'il
s'agit, infiniment plus naturelle et existentielle, bref
culturelle, que la chinoise de 1966; sans précédent
— forcément —, sans concepts ni modèles puisqu'elle doit les engendrer; je dirai presque à
recueillir, à délivrer plus qu'à faire : finis les
forgerons et les démiurges d'hommes! Des accoucheurs, des serviteurs, vous disais-je!... Je n'ai donc
pas non plus de message, moi intellectuel, à
envoyer aux masses, comme ces « phares-flam-
beaux » du XIXe siècle, qui n'ont d'ailleurs jamais
rien donné. Mais, en tant qu'intellectuel, je veux
commencer cette inquiète recherche de ce qu'il y a
dans le cœur enfoui des masses et par quoi elles
aspirent à se délivrer, à se convertir à une vie véritable, bientôt la seule possible.

Je me souviens d'un discours de De Gaulle en
1942 : « *Ah! que nous avons été passionnés!* », et
aussitôt après : « *Ah! que nous avons été raison-
nables!* » Il fallait de toute façon être fidèle. Mais,

en plus, en prime, en grâce, comme on voudra,
notre fidélité paiera car la fissure ouverte par
Mai 68 va devenir fission, fission positive, déli-
vrance non définitive, mais décisive! Et c'est peut-
être ainsi que nous pouvons terminer ces entretiens,
comme nous les avons commencés : par la grande
question libérante et libératrice que nous posa à
tous le premier craquement du 3 mai 1968...

PH. S. : D'accord, soyons réalistes, demandons
l'impossible.

M. C. : D'autant qu'il n'est maintenant plus impossible, Sollers, et que nous sommes, en effet — et
non plus par boutade inspirée —, réalistes! D'autant que l'impossible est quasiment là, ou, mieux,
qu'il arrive! Nous n'avons aujourd'hui presque
plus à le demander, mais à lui frayer son passage!
Et, pour en revenir sur un point précis à notre
premier entretien, c'est justement cela qui m'oppose
aux anges, aux auteurs de *l'Ange,* auxquels vous
m'assimiliez ou m'amalgamiez de bien méchante
façon, si j'en crois mon petit doigt... Ma différence
avec eux, c'est que... c'est là! C'est que, dans ma
conception de l'Être, du présent et de l'avenir
imminent, je n'ai nul besoin de leur fabuleux pari-
défi sur et vers le « hors-du-monde », puisque ce
« hors-du-monde » revient, va revenir à la fois
briser et repénétrer ce monde. L'ailleurs est là.
L'impossible devient possible, et n'a pas plus

besoin de nous que Dieu des hommes — ou pas moins... Non seulement c'est un souhait, mais c'est un fait! C'est gagné! Tout reste à gagner, mais c'est gagné — tiens, justement, comme la Guerre mondiale en 1942, quand le passionné de Gaulle réalise combien il fut raisonnable! C'est donc cette rupture et cette fécondité que nous aurons à porter à terme, à délivrer. Il ne faut pas « changer le monde », il faut changer ce monde en accouchant l'autre monde, dont il est gros. Changer la vie, oui, en accueillant, recueillant et irradiant les influx de la vie nouvelle. Nous ne serons pas trop de nous tous, Sollers! D'un mot, tenons-nous prêts à ce qui se prépare! Je tenterai d'apprivoiser l'apocalypse. Aidez-moi. Et bientôt, peut-être, remplacez-moi.

J. P. : Vous parlez de révolution, Maurice Clavel. En fait il s'agit pour vous d'une renaissance qui ne passe pas par la voie du rationalisme?

M. C. : Ce n'est plus l'heure de discuter raison ou rationalisme. Nous avons critiqué la raison et ses méfaits. Alors, ce que j'appelle « Foi » est-il chez Sollers une sorte de raison supérieure, une raison de la vie opposée à une raison de la mort? N'oubliez pas que, chez Kant lui-même, la Raison, distincte de l'entendement, est le pouvoir non discursif de l'Absolu, originairement pratique... Mais il suffit. Parodiant Descartes, je dirai, de

cette dernière différence qui subsisterait entre
Philippe Sollers et moi : « question légère et à vrai
dire métaphysique... ».

Table

IMP. BUSSIÈRE A SAINT-AMAND (CHER).
D. L. 1er TR. 1977, N° 4576 (1906).

Collection Points